LES CHEMINS DE LA MER

FRANÇOIS MAURIAC

de l'Académie Française

LES
CHEMINS
DE LA MER

Edited by

L. CLARK KEATING
The George Washington University

AND

JAMES O. SWAIN
University of Tennessee

BOSTON: D. C. HEATH AND COMPANY

TO

Lucille and Nancy

PREFACE

The editors wish to express their appreciation to
M. François Mauriac and his publisher, B. Grasset, for
their courtesy in making possible this edition of *Les
Chemins de la mer*.
The essential outlines of the novel have been kept.
A long episode concerning Landin has been eliminated,
and certain other passages have been omitted, either
because they referred to this episode, or because they
consisted of lengthy descriptions or psychological
disquisitions. Enough of these, however, have been left
to give the student a clear idea of the author's way
of writing. The result is a book about one-third shorter
than the original.
Our thanks are due to Mr. Philip Rovner and Mr.
Joseph L. Metivier of the George Washington University,
for suggestions and criticism, and to Dr. Stiefel and
Dr. Virtanen of the University of Tennessee, for their
assistance in preparing the vocabulary.

INTRODUCTION

The French Novel of the Twentieth Century

During the period from the end of the first World War to the outbreak of the second, French fiction developed in a remarkable fashion. As might be expected the older writers, who are generally considered to belong, at least in spirit, to the nineteenth century, continued to write in their established manner. Thus during the nineteen-twenties we have the last work of Pierre Loti, *Prime jeunesse* (1919), and the last work of Anatole France, *La Vie en fleur* (1922), while the final book of Paul Bourget, *Une Laborantine*, appeared in 1934. With the death of these three writers, in 1923, 1924, and 1935 respectively, it may be said that the tradition of nineteenth-century realism which had its inception in Balzac had come to a close. Romain Rolland, who created the long novel in the twentieth century with his ten-volume saga of *Jean-Christophe*, had completed his major work as a novelist before the war. The work of Marcel Proust, the seeker and finder of lost time, *A La Recherche du temps perdu*, appeared in part in 1913, but it too was a product, at least in part, of a nineteenth-century background.

Among the younger novelists who had already made a reputation before the outbreak of the first World War, André Gide was conspicuous in the post-war period for his continued production of masterpieces, dedicated to the probing of the inner life and the revelation of man's most secret thoughts. This indeed was the distinguishing mark of Gide as it had been of Proust, a preoccupation with states of mind in the making or in recollection, and in this field, brought to the fore in psychiatry by the researches of Sigmund Freud, lies the major orientation of the art of fiction in the twentieth century. It is of course true that the study and artistic treatment of states of mind was no radical departure for French storytellers. From the *Princesse de Clèves* in the seventeenth century, through *Manon Lescaut* in the eighteenth, up to and including *Le Père Goriot* and *Le Rouge et le noir* in the nineteenth, French novelists had been interested in seeking out the sources within man of his thoughts, feelings, and actions. But it remained for our own century to point the way to a new concept of psychology, and it must not be forgotten that although the science of that name prefers to define itself as the science of the mind, psychology for the artist remains close to its original and etymological meaning. For literature, psychology is the study of the *psyche* or soul.

This analytical approach to human problems, human tragedies, and less frequently, human triumphs, is the contribution par excellence of the twentieth century to the art of fiction. Prior to the first World War the stage was already set for new ventures into this field. Participation in the war matured and developed the talents of a number of young writers who had previously been groping toward a way of expression. Some of these men had written a fair amount in the years before the war, but the experience of the trenches or other war service, less grim but no less affecting perhaps, lent new themes and gave new direction to their writing skill. Among these novelists, several of whom were approaching forty and their years of highest productivity, were Roger Martin du Gard, Jean Giraudoux, Paul Morand, Jules Romains, Georges Duhamel, and François Mauriac. Younger, but also reaching maturity artistically speaking, were Antoine de Saint Exupéry and the American Julien Green. Each of these men was a psychologist in his own way, but each had a strikingly original contribution to offer to the writing of fiction.

Roger Martin du Gard (1881–), never a prolific writer, staked out for himself an area of research in the *mores* of the French family, and in his great novel, *Les Thibault*, he probed the reactions of the younger and the older generation in France as the currents of social reform, war, and revolution upset their judgment of values and remade their world. For his purpose Martin du Gard was not satisfied with a small canvas, and so his study embraces ten closely packed volumes. The last of these, which brought his heroes to their deaths at the time of the first World War, was published in 1940.

Georges Duhamel (1884–) has attempted far more. His fiction includes several books inspired directly by his participation as a front-line surgeon in the war, and two of these works, dealing with the sufferings of the wounded, and entitled *Vie des Martyrs* and *Civilisation*, are masterpieces of irony and pathos. After the war, in addition to writing several one-volume narratives and a number of short stories and sketches, he published no less than two long novels. The first of these, *Vie et aventures de Salavin*, in five volumes, is the story of a strange and pathetic figure, whose search for the good life and a measure of happiness ends not only in his own frustration and defeat but in the frustration and defeat of all those who come into contact with him. When Duhamel had completed this sombre and tragic study, he had apparently written himself out of the mood of bitterness and discouragement in which the war had left him, for with the *Chronique des Pasquier*, his ten-volume novel, of which the last two volumes had to be published abroad to avoid the prohibition of the Gestapo, he struck a more cheerful note. His Parisian family, composed of a mother and father and five children, is alternately happy and tortured as it strives for its place in the sun; but although the adventures of more than one of the members of the clan end in disaster, the lesson of the chronicle appears to be that life for all its strife and its heartbreaks is well worth living.

Longer than the cyclic novels of either Martin du Gard or Duhamel was that of their colleague Jules Romains, who attempted in no less than twenty-seven volumes to create a new *comédie humaine*. In the pages of his *Hommes de bonne volonté*, all classes and all types of persons, and all political, artistic, and cultural movements from 1908 to 1933 were to be depicted in a series of tableaux or candid-camera views. But Romains differed from Balzac in his refusal to limit himself to a single volume for the treatment of a single theme or group of characters. He chose instead to have the persons and the movements of the epoch move in kaleidoscopic fashion throughout the entire work, now lost sight of, and now brought into focus, so that the effect upon the reader is that of the simultaneous reading of a score of novels. It is probably too early for a serious judgment on the permanence and the artistic quality of this work, for although it is masterly in part, many critics seem to feel that it tends to decline in power after the first few volumes. Duhamel and Martin du Gard appear to have solved their problem more successfully.

The writings of Paul Morand and Jean Giraudoux are in an entirely different vein. Both men were widely traveled as members of the French foreign service, and consequently both brought to their writing that interest in faraway places and persons which only the well-traveled and cosmopolitan of a generation can contribute. In Morand's case his early successes and greatest fame were won with sketches which seem intended to shock the reader by the juxtaposition of incongruous images and ideas. In *Tendres Stocks, Ouvert la nuit*, and *Fermé la nuit* he painted with irony and humor some of the more picturesque and grotesque aspects of post-war society as he observed it in various out-of-the-way places. He wrote of nudist camps and of six-day bike races, of charlatans and of revolutionists, creating for his purpose a style which was no less unusual than his subject matter. Giraudoux's contribution was quite different in reality though there is a temptation to class the two men together. For Giraudoux the queer people whom Morand drew to the life, or with but slight caricatural intention, became in such books as *Suzanne et le Pacifique,* and *Juliette au pays des hommes* a collection of impossible but highly amusing figures seen in incredible situations, and through them he engaged in a pitiless analysis of mankind. Giraudoux's people represent, in Clarence Day's phrase, a simian world.

With Antoine de Saint Exupéry the novel explores yet another phase of modern life, the conquest of the elements through new inventions. As one of the pioneer pilots who helped to extend French airlines overseas, Saint Exupéry saw not only the romance of aviation but its possibilities for good or evil in the modern world. Unlike contemporary pilots, who sometimes call themselves the "street-car motormen of the skies," Saint Exupéry and his associates regarded themselves and their mission with something approaching awe. Hence as time went on and he progressed from earlier works like *Courrier Sud* and *Vol de nuit* to *Pilote de guerre* and his whimsical *Le Petit Prince,* Saint Exupéry became more and more philosophical, and drew farther and farther away from pure narrative.

Still another field of concentration has occupied the talents of Julien Green, the Paris-born American who writes in French. Green began to write fiction while still at the University of Virginia, and the scene of his first major novel, *Mont Cinère,* was laid in Virginia. Since then with the production of many successful novels he has moved toward front rank. Green has been compared to Hawthorne, for like his compatriot of a hundred years ago, Green probes the hates and fears of a series of characters whose relationship is closer to the people of the *House of the Seven Gables* than to anything in French.

François Mauriac

Of all the above-mentioned novelists, each of whom has chosen for himself a significant yet restricted area in man's mental horizon, none has chosen a more difficult subject or a more highly individual approach to that subject than François Mauriac.

Mauriac was born in 1885 in Bordeaux, a city remembered among other things for its connection with Montaigne, the essayist. Mauriac's life and residence in Bordeaux are indissolubly connected with his work. He was the youngest of five children, having a sister and three brothers. His father was a freethinker, and not a member of any church, but his influence on François was negligible since he died when the boy was only twenty months old. Madame Mauriac was a very devout Catholic, and throughout his childhood François participated in family prayers which he and his sister and brothers declaimed in chorus. There were also single prayers for each member of the family and regular attendance at the services of the church. These religious influences were of cardinal importance for the career of Mauriac, who has said that whatever else he may be, he is a Catholic first and a novelist secondarily.

As a boy François Mauriac was sent to a Marianite school and then to a Catholic lycée. From there he entered the University of Bordeaux where he earned a *licence ès lettres*. In 1906, at the age of twenty-one, Mauriac went to Paris to enroll in the École des Chartes, a graduate school of a very rigorous sort. During his two years there he became more and more interested in literature and he finally published a collection of poems entitled *Les Mains jointes* (1909). This book, which was of at least partially religious inspiration, the young poet published at his own expense, sending copies to most of the then famous men of letters, with the exception of Barrès. The latter he omitted because he admired him most of all and therefore feared his criticism. Barrès, however, so the story goes, heard about the book from Paul Bourget, and he at once wrote Mauriac saying that he foresaw for him an honorable career in letters. He also devoted a magazine article to the young poet.

Like many young Frenchmen of a literary bent, Mauriac

founded a magazine of his own. His collaborator in this venture was Pierre Lafon, who was later killed at the front in the first World War. When the war broke out Mauriac was not in good health, but he was at once mobilized and sent to Salonika with the *service auxiliaire*. There he worked for a time as a hospital orderly, but he contracted malaria, was hospitalized and sent back to France. It was after his return home from the war that Mauriac began seriously to write novels, of which to date he has written more than a score. His subsequent career to the outbreak of the second World War is the story of his growing literary reputation, culminating in his election to the Academy in 1933. Mauriac declares that he dislikes to travel and that he is really happy only in his native Bordeaux. It is there, or at his country estate nearby, that he spends most of his time.

Mauriac's first novel, *L'Enfant chargé de chaînes*, was published in 1913, but reputation did not come to him until the publication of *Le Baiser au lépreux* in 1922. In this book we have a foreshadowing of his method as a novelist. The story deals with bourgeois folk who though intensely religious are quite capable of circumventing Christian ethics in order to further their financial and family interests. The principal character, Jean Péloueyre, marries Noémi d'Artiailh. He does so only because he has been told by his parents that he must prevent the loss of the family name by producing a son and heir. Jean is sickly and ugly, unfit for marriage. His wife Noémi is a fresh and beautiful country girl, but she too is unready for marriage. She agrees to marry Jean because her parents have convinced her that it is her duty to ally her family with the rich and influential Péloueyres. The rest of the story, after their marriage, concerns the unhappiness of the young couple. Jean knows that he is repulsive to his wife, whom he comes to love dearly, and because his presence is distasteful to her he goes to Paris for a long stay. During his absence the failing bloom of Noémi is miraculously restored. Upon Jean's return he tries to remain away from home and out of Noémi's sight as much as possible. He spends much of his time at the bedside of a friend who has tuberculosis, mainly in the hope of catching the disease, as eventually he does. Just before Jean's death Noémi takes him into her arms only to hear him say pitifully that in her one embrace he has finally known affection. In this tragic story of two persons forced to live together although they are temperamentally unsuited to each other, Mauriac appears to be protesting against the conventions that make people sacrifice their happiness, but he points to no moral in so many words.

Since this first success Mauriac's novels have been fairly constant in place and in purpose. He writes by preference about emotional crises among the upper-middle class of Bordeaux. Most of the Bordelais whom he has drawn are unhappy creatures, fettered by conventions, and strongly motivated by a desire to maintain their social position. Marital tragedies, frustrated affections, and sexual maladjustments to which is joined an attachment to the austere pines and vineyards of the Bordeaux country, these are the stock in trade of Mauriac. In his autobiographical writings he speaks of his affection for his native city but one could hardly deduce from his novels that his feeling for it should be so called.

A year after *Le Baiser au lépreux* Mauriac published *Genitrix*, a study of the relationship of mother and son. Fernand, the son, is completely under the domination of his mother who ruins his marriage and rigidly controls his every action. After her death he continues in the narrow emotional path she had taught him. Here Mauriac studies what is generally thought of as an ideal relationship, but as usual his conclusions are not optimistic.

With *Thérèse Desqueyroux* (1927), Mauriac passed another milestone in his delineation of the face of tragedy. Thérèse, like Noémi Peloueyre, finds herself married to a man who is repulsive to her, but instead of suffering in silence Thérèse attempts to poison her husband Bernard with arsenic. When the plot is discovered Bernard secures Thérèse's acquittal, and he even consents to keep her in the house until his sister's marriage has taken place. This he does principally because he mortally fears a scandal. After this, detesting divorce, but in terror of his wife, Bernard takes her to Paris where he agrees to provide separate maintenance for her. Most of the novel is cast in the form of an interior monologue on the part of Thérèse, who tells us all the thoughts that led up to her attempted crime, and we have therefore one of the most effective examples in modern literature of the probing of the tortured mind. Thérèse, like Gide's *Immoraliste* and Duhamel's Salavin, is a restless soul who knows no peace. Mauriac indeed was criticized for refusing Thérèse the consolation of religion, but he felt that he could not logically lead her to repentance, and he added that he was not yet done with Thérèse.

Mauriac kept his promise by continuing the story of Thérèse in 1935 in the novel *La Fin de la nuit*. Here we find Thérèse some fifteen years after the separation from her husband. As the story opens she is visited by her daughter, now grown up, who has come to Paris to pursue Georges, a weak-minded young man who loves her but little. When Georges and Thérèse meet, the young man is greatly attracted to the older woman, but she turns him away. In the end Thérèse goes home to Bernard who is not at all glad to see her. Although she is desperately ill, Thérèse succeeds in reconciling her daughter with Georges and the reader is left to conclude that Thérèse, who is about to die, will die in a state of grace.

Le Mystère Frontenac (1933) was written after Mauriac had recovered from an illness which was expected to be fatal. During his convalescence he had the time to reflect on his work and upon the direction which it had taken. He was impressed, apparently for the first time, by the air of gloom and tragedy which pervades his novels, and surrounded as he was by his loving and devoted family he wondered, as others have done, why most of his works seem to present a pessimistic view of mankind. With this in mind he wrote

Le Mystère Frontenac which is considered his one cheerful work. For the careful reader however it is difficult to class this book as a happy one. The story of the Frontenac family had no sombre ending, it is true, but the conflicts between the members of the family do not provide a very glowing picture. The sacrifice of Uncle Xavier, who fears lest his nephews may learn of his common-law relationship with a humble woman, is a leading theme, but if this theme is less than tragic, it is still eminently pathetic, as are the struggles of all the members of the Frontenac family. Thus if we look beneath the surface we find essentially a gloomy picture.

Le Nœud de vipères (1932) is in some ways the most sombre of Mauriac's many sombre books. In this work we have the story of Louis, who as an old man writes a diary addressed to his wife. He tells her how a fit of jealousy about a former suitor of hers poisoned him against her early in their married life, and how he came to detest her more and more as the years passed. The venomous hate of this old man who has destroyed his happiness by allowing meanness and prejudice to warp his affections is told with consummate skill. In the end the old man is saved from himself by a return to religion, and the reader is led to suppose that Louis died reconciled with the Church. From this point of view the novel has a Catholic ending, which can also claim to be a logical outcome of the plot, but before the end is reached, the passions of the hero have had their effect on the reader, and we are far more likely to remember the Louis of the unrepentant mood than the Louis whose soul was saved.

In *Les Anges noirs* (1936) and *La Pharisienne* (1941) Mauriac continued to exploit his usual themes. These novels, no less than the others which have been discussed, illustrate very well the theory of the novel which he expounded in *Le Roman* (1928). It is his belief that the trends established by Balzac, Flaubert, and Zola have come to a blind alley in the twentieth century. The world has changed, he thinks, and the morality which circumscribed the thinking of our ancestors is no more valid for us than their psychology. Mauriac wishes to continue the process of probing the human mind through literature, but for his task he demands that he be equipped with twentieth-century tools. Once provided with the latest psychological insights he feels that he can never exhaust his subject, since the French family of today offers enough material to last him a lifetime. In discussing the direction that his novels have taken, Mauriac observes that he cannot rigidly control his characters. The more real they become as they develop, the more likely they are to take matters into their own hands and end the book in a fashion not foreseen or desired by the novelist when he began to write.

For many years there has been a controversy among the critics as to whether Mauriac writes as an orthodox Catholic should. The question is asked why if he believes in redemption through faith, that is to say, in this doctrine of the Catholic Church, he almost invariably depicts people who fail to find salvation. Mauriac himself has no pat answer to this question. Perhaps as Professor Stansbury has said the whole discussion is after all nothing but a tempest in a teapot. Because Mauriac is a religious man is no reason for his characters to be religious also. Almost all the personalities he describes are faced with the dilemma of yielding to the flesh or of resisting it in the name of the spirit. Because they are human beings they are prone to sin, and as Mauriac sees it, it is the sins of the individual, and not the errors of society, that are responsible for most of man's suffering and unhappiness. If his people yield to the flesh, they are made unhappy, but as in real life their predicament does not necessarily bring them back to the way of repentance. To the question why he who loves his own family always shows husbands and wives at each other's throats, and why most of the families he describes are nests of vipers, the novelist can make no answer except that he tries to depict human frailties as he sees them reflected in the society in and around Bordeaux.

Les Chemins de la mer (1939)

Les Chemins de la mer is fairly representative of Mauriac's technique. The plot is mainly an account of the life of Rose Révolou and of her determination to keep her family together after the suicide of her dissolute and bankrupt father. When her mother, Lucienne, weakly signs away the family patrimony under the pressure of Léonie Costadot, to whom a vast sum is owed, Rose refuses to bow beneath the blow and strives to earn a living for herself and her family. From the beginning everything conspires against her. Robert Costadot, her weak suitor, deserts her because he is afraid of poverty and even more afraid to cross his mother. Her own mother sinks into helpless invalidism, and Julien, her eldest brother, takes to his bed as the easiest means of abdicating his place as head of the family. Denis, her idealistic but weak-willed younger brother, fails his examinations, and finally follows the line of least resistance, to marry the unsuitable daughter of the caretaker on the family estate.

Rose is not an altogether lovable heroine, for she is motivated not only by a determination which we admire but also by some rather selfish sentiments among which are a narrow pride of family and an overly protective love for her brother Denis. Yet despite these qualities, and the unsavory actions to which they lead, there is something admirable about Rose. Her determination and energy are superb. Surrounded by a family whose moral fiber has decayed, buffeted by an existence which seemed unthinkable to a girl of her former social position and sheltered upbringing, Rose keeps her head high. And because of her courage it should be easy for us to understand her. If the conventions which surround Rose's love and courtship are different from ours, and if her attitude toward earning her own living is also different, she is still humanly at one with brave people everywhere. Her refusal to be engulfed by the quicksands of defeat and decay makes her one of Mauriac's finest heroines.

The scene of this novel is laid in Bordeaux and its environs, although one of the elements which we generally find is virtually lacking. Love of property and the tenacious grip of money interests are present as usual, but the deep feeling for the land and the love of the pine and the vineyard which motivate the majority of his characters are minimized. In most of Mauriac's novels, whatever the psychological tangle, the hold of the soil upon his characters is impressively demonstrated from first page to last. But in *Les Chemins de la mer* this fierce, almost atavistic attraction of the land is a negligible factor. Here as elsewhere life's most elementary forces are in control of events, none the less, and one feels the complex pattern of affection and hatred of which Mauriac believes love to be composed. Uppermost, however, is the bourgeois tradition of family pride which is so intimately linked with fear of losing status.

Les Chemins de la mer shows us among other things that Mauriac is far from the easy optimism to which Americans are accustomed. For Mauriac life is a struggle. Man may be happy in this life. He may perchance succeed in working out his destiny so that his wishes are fulfilled. Mauriac does not rule out this possibility of attaining a state of grace, and grace is to be thought of as synonymous with happiness. Most men, Mauriac seems to say, are victims, and a careful study of *Les Chemins de la mer* will reveal that the cruel and weak characters in the book are no less so than is Rose, whose courage made her try to rise above her misfortunes.

Mauriac's Other Work

Mauriac's literary activity has not been confined to writing novels. He has published several books of criticism, and has written plays for the Paris stage, and three books of poetry. He has also done some local-color sketches about his beloved Bordeaux, and a book on the French provinces. Because of his deep interest in religion he has written a number of books on religious subjects. Critics have noted, and professed to find odd, the fact that the orthodox Mauriac frequently writes of Jansenists, for he has written three books about Pascal, and one on Racine. Obviously the Jansenist faith, with its puritanical bent, fascinates him. In the same genre he has written a continuation of Bossuet's treatise on lust, and in his *Trois grands hommes devant Dieu* (1930) he has imagined the trial in heaven of Rousseau, Molière, and Flaubert. His beautifully written *Vie de Jésus* (1936) is a straightforward biography based almost entirely on the four Gospels. He has also collaborated on a work concerning the relation of Communism to Christianity.

Mauriac has done some writing which can be classified as autobiographical, but to date he has not given a systematic account of his life. In 1929 he published a little book entitled *Mes plus lointains souvenirs*, and after it four more books in which he talks about himself. His short essay called *Les Maisons fugitives* (1939) is an introduction to a book of a hundred photographs of Malagar, his country property near Bordeaux. His published journal deals in an unsystematic fashion with his work and his ideas.

In recent times, with the outbreak of the second World War and the subsequent German occupation of France, Mauriac took an active part in the resistance. In a short book entitled *Le Cahier noir* (1943) he poured out his anger against the reactionary group known as the "Action Française," and he also opposed extremists like Léon Daudet whom he classed with Hitlerites and Vichyites. In *Le Bâillon dénoué* (1945), which was written during the war but was not published until 1945, he declared for the following principles: unswerving resistance to Germany, contempt for Pétain and his regime, and national unity at all costs even if this had to mean the inclusion of the communists in the government. These were outspoken words for 1945, but Mauriac justified them in his preface as follows: "You will observe a certain bitterness and outspoken frankness which I would not indulge in today, but I wrote [the articles] in the heat of combat and I would destroy their historical value if I were to soften the bitterness in any way."

Mauriac has had all the honors that can come to a French man of letters. In 1933 he was elected to the Brieux chair in the Academy. He has won prizes and honors and international acclaim, culminating in 1952 with the award of the Nobel Prize for literature. He is a lean and ascetic-looking man who, according to an interviewer, never "smiles with his eyes." He is also a man of integrity who is, and always has been, willing to defend his point of view.

BIBLIOGRAPHY

NOVELS

(Published by Grasset)

Le Baiser au lépreux (1922)

Genitrix (1923)

Le Fleuve de feu (1923)

Le Désert de l'amour (1925)

Thérèse Desqueyroux (1927)

Destins (1928)

Le Nœud de vipères (1932)

Le Mystère Frontenac (1933)

La Fin de la nuit (1935)

Les Anges noirs (1936)

Plongées (1938)

Les Chemins de la mer (1939)

La Pharisienne (1941)

PLAYS

(Published by Grasset)

Asmodée (1938)

Les Mal-Aimés (1945)

MISCELLANEOUS

Bordeaux (Émile-Paul, 1926)

Journal (Grasset, 1934, 1937, 1940, 1950)

Le Roman (L'Artisan du Livre, 1928)

For a more complete bibliography of Mauriac's works and for a list of the books and articles which have been written about Mauriac, see Nelly Cormeau, *L'Art de François Mauriac* (Grasset, 1951). Mauriac says of this work, "Entre toutes les études dont j'ai été l'objet, voilà celle qui répond le mieux à ce que j'ai souhaité qu'on pensât de moi. Voilà les sentiments que j'ai rêvé d'éveiller dans les êtres."

*La vie de la plupart des hommes
est un chemin mort et ne mène à rien.
Mais d'autres savent, dès l'enfance,
qu'ils vont vers une mer inconnue.
Déjà l'amertume du vent les étonne,
déjà le goût du sel est sur leurs lèvres
— jusqu'à ce que, la dernière dune
franchie, cette passion infinie les
soufflette de sable et d'écume. Il leur
reste de s'y abîmer ou de revenir sur
leurs pas.*

1

Denis Révolou feignait de repasser son cours, mais il
demeurait attentif aux allées et venues de sa mère dont
la longue traîne faisait sur la laine du tapis un léger
bruit doux et solennel. Elle montrait cette figure officielle
que lui créait, les soirs de bal, M. Tardy, le coiffeur du 5
cours des Fossés, et qui lui servait aussi quand elle posait
chez le photographe. Ses cheveux blancs aux ondes un
peu jaunies composaient une architecture fragile, pro-
tégée par une voilette et surmontée d'un croissant
d'émeraudes. Sa fille Rose, coiffée elle aussi, n'avait pas 10
quitté un « saut-de-lit », la maison Habrias n'ayant pas
encore livré sa robe à laquelle il avait fallu faire une
retouche.

— Si dans cinq minutes ta robe n'est pas là, je commencerai à m'inquiéter. 15

Denis ne réprima pas assez tôt un léger rire.

— Tu n'es pas encore couché, Denis?

— J'attends la robe, dit-il.

Un haut lampadaire éclairait ses cheveux qu'une raie
séparait à gauche. Sa grande main reposait sur le *Manuel* 20
de psychologie. Derrière sa tête un peu trop forte, les longs
plis de soie fanée tombaient du baldaquin de peluche. Il
était impatient d'examiner la robe de Rose qu'un petit
domestique devait rapporter de chez Habrias. Cette robe,

songeait Denis, serait indécente comme toutes les robes
de bal. Ainsi dévêtue, elle accepterait d'être serrée dans
les bras du premier garçon venu . . . Encore s'il ne s'agissait que du premier venu! Mais Robert Costadot . . . Ils
5 étaient presque fiancés; ils vivraient ensemble. Elle aurait
pu épouser quelqu'un qu'elle n'eût pas aimé. Dans
les romans, les femmes n'aiment presque jamais leur
mari . . . Mariage pas encore fait. La mère Costadot
mettait des bâtons dans les roues et colportait de mauvais
10 bruits contre l'étude Révolou, une étude qui valait des
millions, la première de la ville; c'étaient des gens comme
elle qui créaient une atmosphère dangereuse . . . Si sa
mère avait été inquiète, songeait Denis, elle n'aurait pas
attaché d'importance au bouton qu'elle venait de décou-
15 vrir sur la narine gauche de Rosette.

— Il a encore grossi, constatait-elle. Ça t'apprendra à
te bourrer de chocolats, à ne pas manger de légumes verts!
(il fallait toujours qu'elle établît des responsabilités).
Avec la peau que tu as, tu devrais éviter tout ce qui
20 échauffe . . . Je me demande de qui tu tiens cette peau,
ajoutait-elle pensive.

« Pas de toi, bien sûr! » se disait Denis, indigné de ce
que sa mère qui avait l'épiderme grenu et à pores dilatés,
se permît de critiquer ce visage transparent que la
25 moindre émotion embrasait.

Il y avait chez Mᵐᵉ Oscar Révolou une sorte d'instinct
d'acharnement, un goût de se monter contre sa fille, « de
lui servir ses quatre vérités ».[1] Son énervement devenait
très vite irritation, puis tournait à la fureur. Elle se
30 déchirait en la déchirant avec une verve cruelle:

— Ce que tu peux être laide,[2] ce soir, ma pauvre Rose!

1 de lui . . . vérités *to tell her the brutal truth*.
2 Ce que . . . laide *How ugly you are*.

2

Pourvu qu'on ne te laisse pas trop sur ta chaise . . . **Tu as de la chance d'être la fille de tes parents** . . . Allons bon ! te voilà changée en fontaine ! Il ne te manquait plus que d'avoir une figure bouillie et le nez comme une pomme de terre. Va te laver les yeux à l'eau fraîche. 5

Denis cria à Rose qui sortait en sanglotant « de ne pas s'en faire,[1] qu'elle serait la plus jolie, comme toujours » . . .

Mme Révolou protesta que ce qu'elle en disait, c'était pour le bien de la petite. « C'est drôle, songeait Denis, 10 qu'elle nous préfère, Julien et moi . . . Julien, cet idiot . . . et moi . . . pauvre, pauvre moi ! » dit-il à voix basse, en frottant tendrement sa joue duvetée.

*

*   *

Le maître d'hôtel vint avertir que le premier clerc, M. Landin, désirait parler à Madame. Elle parut à la 15 fois surprise et indignée. A neuf heures du soir? M. Landin avait perdu le sens. Et puis ne savait-il pas qu'elle ne s'occupait jamais des affaires de l'étude? Monsieur devait rentrer de Léognan le lendemain, dans la soirée. Si le premier clerc avait une communication urgente à lui 20 faire il pourrait toujours le rejoindre (le château de Léognan était à une douzaine de kilomètres des barrières).[2]

Denis se demanda si cette démarche insolite de Landin n'éveillait aucun trouble chez sa mère. Il laissa là son 25 *Manuel de psychologie* et se glissa derrière Louis Larpe, le maître d'hôtel. Comme un chien maigre, il se coula par la porte entrebâillée respirant, comme disait son meilleur

1 de ne pas s'en faire *not to care.*
2 barrière *point marking the city limits.*

3

ami, Pierre Costadot (le frère cadet de ce Robert aimé de Rose), « une odeur de destin ».

Landin était à leurs yeux la créature la plus décriée, la seule peut-être devant laquelle leur père, toujours si courtois avec les subalternes, s'abandonnât aux violences les moins justifiées, comme s'il ne se lassait pas de vérifier jusqu'où il pouvait aller avec Landin, comme s'il assouvissait une rancune. Et pourtant si quelqu'un avait dit : « A l'étude, c'est Landin qui fait tout . . . » personne chez les Révolou n'eût songé à protester, ou leurs protestations eussent sonné faux. Tout le monde en ville savait que le plus gros du travail reposait sur Landin. Que de fois les enfants Révolou entendaient-ils leur père répondre d'un ton traînant : « Demandez à Landin . . . Landin doit savoir où est ce dossier . . . » ! Ils ne connaissaient rien de lui sinon qu'il était le fils d'un concierge à la Faculté des Lettres, qu'il avait fait au lycée ses études en même temps que leur père, qu'il vivait seul avec une sœur vieille fille, indigne à ses yeux d'être présentée aux Révolou. Aucun membre de la famille n'avait jamais mis les pieds chez lui. Le notaire disait comme la chose la plus simple : « Landin n'a pas de vie propre. »[1]

Les sentiments les plus étranges n'étonnent pas dès qu'ils sont devenus habituels. Les Révolou vivaient à côté d'un miracle d'amour, mais qu'est-ce qu'un miracle qui dure toute une vie? Peut-être la dureté d'Oscar Révolou à l'égard de Landin venait-elle de cette irritation que tout être éprouve à se sentir l'objet d'une passion inclassable et démesurée, surtout s'il en profite? Le mépris qu'il témoignait ouvertement à son premier clerc s'alimentait à des sources inconnues du reste de la famille et qui avaient dû jaillir bien des années auparavant, dans

[1] n'a pas de vie propre *has no life of his own.*

4

le sombre lycée où le fils du concierge était l'esclave tremblant du grand bourgeois.

— Si c'est pressé, vous aurez toujours le tramway demain matin, disait Louis Larpe de ce ton persifleur dont même les domestiques usaient avec Landin. Mais Monsieur n'aime pas beaucoup qu'on le relance à Léognan.

Louis Larpe ne se retint pas d'ajouter:

— Qu'est-ce que vous allez prendre,[1] pauvre monsieur Landin !

— Vous êtes sûr que c'est impossible de voir Madame? Tout à fait sûr? Alors, puisque c'est impossible . . .

Il paraissait soulagé à l'idée qu'il ne dépendait pas de lui d'avoir cette entrevue. Louis Larpe ne voyait pas ce que Denis avait discerné au premier coup d'œil: autour du crâne bosselé, où jouait le reflet de la lanterne allumée au plafond, les cheveux de Landin, rares et soyeux et qu'Oscar Révolou comparait à des poils de souris empoisonnée, étaient trempés de sueur. Et parce qu'il les avait teints, les gouttes de cette sueur couleur de café noir, laissaient sur les joues molles des traînées marron. Il marmonna, comme quelqu'un qui parle seul:

— Je vais tâcher de trouver un fiacre ou un taxi . . . A cette heure-ci ce ne sera pas facile, surtout à cause du bal Fredy-Dupont . . . Si par hasard on avait besoin de moi, dites que je suis parti pour Léognan . . .

Alors il aperçut Denis. On aurait cru que son regard était matériel, qu'il avait du poids, qu'une fois arrêté sur un être, Landin n'arrivait pas du premier coup à l'en détourner. Ce soir-là, il se risqua à poser sur la tête de Denis cette main toujours mouillée qu'on évoquait chez les Révolou lorsqu'un des enfants se rongeait les ongles:

1 Qu'est-ce que . . . prendre *You're going to catch the dickens.*

5

« Fais attention, tu vas avoir des mains comme celles de
Landin ! » Denis s'écarta avec impatience et dégoût:

— Dites donc, monsieur Landin !

Mais comme le regard, la main restait posée sur le
5 front de Denis, une main de plomb qui semblait ne plus
pouvoir bouger. Et l'œil de Landin d'un bleu trouble,
noyé d'une larme éternelle, exprimait des sentiments
indiscernables. De la pitié, peut-être? Landin parla tout
à coup:

10 — Allez trouver votre maman, monsieur Denis . . .
Soyez bien gentil avec elle. Dites-lui . . . Non, non, ne
lui dites rien . . .

Il tourna le dos au garçon stupéfait et tira la porte.
Denis l'entendit descendre quatre à quatre l'escalier. Il
15 alla s'asseoir sur le coffre du vestibule. Le gaz, dans la
lanterne ancienne, sifflait. Miroirs espagnols, armes de
sauvages rapportées des îles par un grand oncle Révolou,
peintures sur soie, estampes, tout ce qui était suspendu
aux murs l'était depuis des siècles aux yeux de Denis. Le
20 jeune laquais essoufflé se dirigea vers la chambre de
Mme Révolou, un carton sous le bras; il cligna de l'œil:

— C'est la robe.

Denis le suivit et, à peine entré, tandis que Rose ouvrait le carton, il glissa à sa mère:

25 — Landin va tâcher de trouver un fiacre ou un taxi. Il
part tout de suite pour Léognan.

— Grand bien lui fasse !^1

Denis savait que cette parole était sans proportion avec
l'angoisse de sa mère à ce moment-là. Elle se tourna vers
30 Rose qui venait de passer la robe.

— Regarde-moi . . . Oui, elle tombe bien maintenant.
Tourne-toi . . . Ça va. Tu te recoifferas.

1 Grand bien lui fasse *Much good may it do him!*

6

— On a sonné, dit tout à coup Denis.

Depuis la chambre de sa mère, il avait seul l'oreille assez fine pour entendre la sonnette de l'entrée. Mme Révolou demanda:

— Qui veux-tu qui vienne à cette heure-ci? 5

*
* *

Plus tard, les enfants devaient se rappeler que sa voix était déjà méconnaissable. Denis pénétra dans le vestibule au moment où Louis Larpe ouvrait la porte. C'était Léonie Costadot. Une jaquette d'astrakan la rendait énorme. Elle soufflait. Bien qu'elle fût fort liée avec 10 les Révolou, elle sonnait pour la première fois chez eux à une heure aussi tardive. Léonie Costadot, la mère de Robert et de Pierre . . . Denis pensa d'abord qu'elle venait pour la demande.

— Elle fait la petite bouche,[1] disait Oscar Révolou . . . 15 et puis le jour où elle sera décidée, je la connais, il faudra bâcler le mariage dans les quinze jours . . .

Elle interpella Denis:

— Ta mère est dans sa chambre? puis gagna le couloir et ouvrit la porte sans frapper. 20

Mme Révolou avait déjà jeté une pèlerine de skungs sur sa robe de bal et couvrait d'un dernier nuage de poudre le nez de Rosette.

— Tu vas au bal, ma mignonne?

Rose sourit, tendit sa joue à la mère de Robert. Elle 25 aussi pensait à la demande. Cependant, Denis voyait se dessiner sur la joue gauche de sa mère la tache jaune qui apparaissait lorsqu'une émotion la rendait blême, la tache annonciatrice d'un malheur. Elle balbutia:

[1] Elle fait . . . bouche *She acts hard to please.*

7

— En voilà une surprise ! Quel bon vent . . .

— Les enfants pourraient sortir ?

Denis remarqua les yeux brillants de Rose . . . mais lui, il savait déjà que ce n'était pas de mariage qu'il 5 serait question ce soir. Pauvre Rosette ! Il n'en serait plus jamais question pour elle . . . du moins avec Robert Costadot . . . Cependant elle l'entraînait dans sa chambre qui communiquait avec celle de leur mère.

Rose s'assit sur le lit. Denis, qui lui tournait le dos, la 10 voyait dans la glace, au-dessus de la cheminée. La joie de ce qu'elle espérait embrasait ses joues. Ce fut dans cette glace que Denis la vit changer dès les premiers éclats de Léonie Costadot qui criait toujours même quand elle n'avait pas sujet de le faire et qui obligeait ses inter-15 locuteurs à forcer leur voix. C'était parce qu'elle criait trop que Rose et Denis n'entendirent pas tout ; mais ils en entendirent assez pour connaître d'abord ce qu'elle était venue chercher, ce soir.

— Écoute, Lucienne : nous n'en sommes plus aux com-20 pliments. L'heure est trop grave. Sais-tu où se trouve Oscar ?

Les enfants durent faire un effort pour attribuer à leur mère cette voix puérile, obséquieuse : bien sûr ! son mari était à Léognan . . .

25 — S'il s'y trouve peut-être encore, en effet, je t'assure que ce n'est pas sa faute.

Il y eut un murmure confus, inintelligible, que Léonie Costadot interrompit :

— Tu fais semblant de ne pas me comprendre !

30 C'était la fable de toute la ville, depuis trois jours . . . Lucienne devait le savoir peut-être ! Elle continua à voix plus basse. Les enfants entendirent leur mère gémir : « de quel droit . . . » L'autre parlait maintenant des

8

« quatre cent mille francs Costadot » qu'Oscar Révolou
faisait fructifier: « faisait suer comme il disait ! on ne sait
pas ce qui peut arriver avec les propriétés maintenant . . .
me répétait-il. Rien ne vaut les placements hypothé-
caires . . . Je vous garde cette poire pour la soif . . . 5
Pour sa soif à lui, parbleu ! . . . » [1]
A partir de ce moment, Denis fut surtout attentif aux
sanglots du jeune corps fauché sur le lit: il le voyait dans
la glace mais n'osait pas se retourner. Il recula un peu
jusqu'à ce qu'il eût atteint le lit et se fût assis à côté de 10
Rosette. Il n'osa pas glisser son bras sur ses épaules qui
étaient nues. Il répétait: « Ne pleure pas, rien n'est perdu.
Je suis sûr de Robert; il ne renoncera jamais à toi. Son
frère Pierrot me disait encore jeudi dernier . . . » Denis
parlait avec abondance contre sa pensée. On connaissait 15
la mère Costadot: elle régnait sur ses fils, surtout sur
Robert. Pour l'aîné, Gaston, celui qu'on appelait le beau
Costadot et qui était son enfant chéri, elle lui avait toujours concédé une part de l'autorité du chef de famille . . .
Mais ce n'était pas Gaston qui aimait Rosette; Léonie 20
Costadot faisait marcher au doigt et à l'œil le faible
Robert.[2] Denis, dans cet écroulement de leur fortune, de
leur situation, peut-être de leur honneur, gardait une
seule pensée présente à son esprit: Rose n'épousera pas
Robert Costadot. Cette pensée surgissait nette et intacte, 25
des décombres accumulés. Il n'osait pas la considérer en
face, il la mettait de côté, l'enfouissait pour la retrouver
plus tard. De nouveau, il fut attentif à ce qui se criait
derrière la porte:
— La preuve . . . tu n'as pas de preuve, Léonie; tu 30

1 Je vous . . . parbleu *I'll keep this money for a rainy day . . . His
rainy day, by heaven!*
2 Léonie Costadot . . . Robert. *Léonie Costadot made the weak-willed
Robert walk a chalk line.*

9

as cru à des ragots. Quand tes enfants sont en cause, tu perds la tête . . . Tu vois? tu hésites, tu ne trouves rien . . .

— Parce que j'ai pitié de toi.

5 Léonie avait coupé la parole à sa victime d'un ton calme; quoi qu'il pût lui en coûter, elle était résolue à lâcher le paquet: il y allait du patrimoine de ses enfants. Elle commença. Denis et Rose croyaient entendre des coups sourds sur un corps. Leur mère ne réagissait plus.
10 Rose serrait le bras de son frère. Elle ne pleurait plus, elle disait: « Pauvre maman, il faut y aller . . . » Mais ils n'osaient pas se lever.

— Je souffre de te faire du mal . . . s'il ne s'agissait de mes petits . . . Que tu l'apprennes une heure plus tôt
15 ou une heure plus tard . . . Régina Lorati a vendu la mèche à mon fils Gaston . . . Oui, la danseuse du Grand Théâtre . . . Ce qu'elle vient faire dans cette histoire . . . ma pauvre petite Lucienne, tu me le demandes? Tu ne me diras pas que tu ne savais pas . . . Voyons, Lucienne,
20 ne joue pas l'étonnement! Je t'excuse parbleu! ma pauvre amie . . . Tu sais fort bien qu'Oscar l'entretient, et sur quel pied!¹ Tu connais comme nous ses équipages, sa livrée, la villa du Mouleau, l'hôtel de la rue de Pessac tout meublé en ancien . . . Non? tu ne le savais pas? Ne
25 va pas t'évanouir, pauvre chérie, ce n'est pas pour toi le moment de perdre la tête . . . Qu'est-ce que tu dis? que je n'ai pas de preuve? Tu rabâches toujours la même chose . . . Comme si je te voulais du mal! Mais malheureuse, je te répète que la Lorati a fait lire à mon fils
30 Gaston les lettres de ton mari . . . Il lui offrait de partir avec lui pour l'Amérique du Sud, puisque tu veux le savoir! C'est dur à entendre; c'est plus dur encore de te

---

1 et sur quel pied *and in what a style.*

le découvrir; mais il le faut. Oui, voilà où en est Oscar ! [1]
Bien sûr que Gaston est l'amant de la Lorati . . . Comment, c'est du propre? [2] Qu'est-ce que ça signifie? Mon
fils n'est pas un corps céleste . . .

*
* *

Serrés maintenant derrière la porte, Denis et Rose
écoutaient ce chevrotement inconnu:

— Va-t'en, Léonie, tu me fais trop de mal.

Ce bourreau sans haine et qui accomplissait son devoir,
s'était adouci, le coup une fois porté. Il s'exprimait sans
cris, d'un ton obstiné, têtu, patient:

— Je ne m'en irai qu'avec les quatre cent mille francs
de mes fils . . . Mais oui, tu peux tout . . . J'ai consulté . . . Tu es mariée sous le régime dotal . . . [3] ta fortune personnelle est intacte. Tu vas signer en faveur de
mes fils . . . J'ai apporté l'acte. C'est Maître Lacoste qui
l'a limé . . . Tu n'as qu'à signer ici . . . et ici . . . là, dans
la marge, tes initiales . . . Je te parais dure, Lucienne,
mais c'est pour mes fils. S'il s'agissait de moi, mais c'est
l'argent de mes fils . . , Après, tu seras tranquille . . .

— C'est, d'abord, l'argent des miens, d'ailleurs, ce
serait illégal, j'en suis persuadée . . .

— Ne t'occupe pas de ça, Maître Lacoste connaît le cas;
s'il faut plaider, je plaiderai . . . L'essentiel est que tu
signes . . . Décide-toi; ne m'oblige pas d'appeler tes enfants, de les prendre à témoin, ils comprendraient,
eux . . . Qu'est-ce que tu dis? s'il s'agit de faux bruits?

1 où en est Oscar *the point Oscar has reached.*
2 c'est du propre *that's a fine mess.*
3 régime dotal *a marriage contract which keeps the wife's dowry separate
from the husband's property.*

C'est possible après tout . . . Dans ce cas, ton mari rendrait l'argent et nous n'en parlerions plus. Mais Gaston a vu des lettres . . . D'ailleurs, depuis plusieurs jours, on ne parle pas d'autre chose. Assieds-toi. Ce n'est pas 5 le moment de tourner l'œil. Assieds-toi à ton bureau.

— Il faut que je demande conseil.

— A qui? à ton mari? Il est à Léognan, pour attendre la Lorati qui ne viendra pas, puisqu'elle est à Monte-Carlo, avec Gaston . . . Rien ne t'empêche de rejoindre 10 Oscar; tu ne risques pas de rencontre gênante.

— Alors, laisse-moi le temps de consulter mon fils Julien, il est déjà chez les Fredy-Dupont . . .

— Je n'attendrai pas son retour: il faut que tu signes . . . D'ailleurs, qu'est-ce que ça peut te faire? Cet 15 argent, Oscar s'arrangerait pour te le subtiliser; je le connais! ça passerait à d'autres; il vaut mieux que les miens en profitent . . . Tu finiras bien par signer . . . A quoi sert [1] de perdre du temps?

Léonie reprit haleine. Elle hésitait devant la dernière 20 arme qu'elle brandit enfin, songeant qu'elle sauvait peut-être la vie à Oscar Révolou:

— Tu devrais déjà être sur la route de Léognan . . . A quoi penses-tu, malheureuse? Un homme aux abois est capable de tout.

25 — Qu'est-ce que tu veux dire, Léonie? Mon Dieu! je suis là à discuter, et d'une minute à l'autre . . .

Rose et Denis n'entendirent plus que des hoquets et ce mot répété indéfiniment d'un ton presque tendre, pressé, suppliant, persuasif: « Allons, signe . . . signe, pauvre 30 Lucienne . . . Signe . . . après tu n'y penseras plus . . . Tu seras libre de courir à Léognan. Il n'est pas encore trop tard pour le sauver . . . mais, d'abord, il faut

1 A quoi sert *What is the use?*

signer . . . Là . . . et là . . . et encore là . . . Tes initiales seulement. »

Les hoquets s'espacèrent. Il y eut le frottement d'une chaise contre le tapis, le bureau grinça, des papiers furent remués. Dans le silence qui suivit, la voix de 5 Léonie Costadot s'éleva :

— Voilà qui est fait. Oh ! ce n'est pas fini, mais le plus dur est acquis . . . Qui sait, ma petite Lucienne . . . peut-être ai-je été trompée? peut-être s'agit-il d'une farce qu'Oscar a faite à Régina Lorati? ou d'un mensonge de 10 Régina à Gaston, pour l'épater, pour le faire marcher . . . On ne sait jamais avec ces drôlesses ! Dans ce cas, ça ne t'engagerait à rien d'avoir signé . . .

Elle était apaisée, détendue. Elle serrait dans son sac cet acte qui allait vainement être attaqué pendant des 15 années par les créanciers d'Oscar Révolou. Elle prit dans ses bras Lucienne anéantie :

— Ma pauvre petite, est-ce que je peux quelque chose pour toi?

13

2

Eɴ sortant de l'hôtel Révolou, Léonie, malgré sa cor-
pulence, remonta d'un pas rapide le cours du Chapeau
Rouge désert, dans un état d'ivresse dont elle n'avait pas
honte. Elle fendait le brouillard, le respirait avec délices,
5 serrant contre son ventre le sac qui contenait l'acte. Elle
avait reconquis une part du patrimoine de ses enfants . . .
Gaston . . . En voilà un qui aurait été fier d'elle, ce soir,
qui aurait admiré son cran . . . Malheureusement, ce
n'était pas ce fils bien-aimé qu'elle devait retrouver à la
10 maison, mais les deux autres, Robert et Pierrot.

Elle ralentit le pas, un peu essoufflée, moins pressée
d'arriver, se demandant comment il faudrait leur présenter la chose. Et, déjà, elle s'indignait: c'était tout de
même trop fort ! Elle venait, au prix d'une scène affreuse,
15 déchirante de sauver leur patrimoine, et il allait falloir
s'excuser, plaider coupable. Car elle les connaissait . . .
ou plutôt non, justement ! elle ne les connaissait pas.

Ce qui empoisonnait ses rapports avec ses deux derniers fils, ce n'était pas une divergence d'opinion. Gaston
20 et elle ne semblaient d'accord sur rien, mais ils s'entendaient à demi mot.[1] Ce noceur, dont la vie était un défi
à tous les principes dont se réclamait sa mère, la com-

---

1 ils s'entendaient à demi mot *they understood each other without recourse to long explanations.*

14

prenait et elle le comprenait. Les deux autres, si travailleurs, si graves, elle ne prévoyait jamais leurs réactions.

Par exemple, ce soir, Léonie se jugeait inattaquable; l'argent qu'elle rapportait, c'était l'argent qui venait 5 de leur père; dépôt sacré qu'elle se sentait fière d'avoir reconquis de haute lutte. Cet argent aurait été perdu pour Lucienne et serait allé à d'autres créanciers, « et alors mieux vaut que ce soit mes enfants qui en profitent. Quant à cette visite tardive, dans de telles circonstances 10 et dont je mesure toute l'horreur, c'est très simple, je leur dirai ce qui est la vérité vraie, que j'ai peut-être sauvé la vie d'Oscar Révolou . . . Lucienne, grâce à moi, est partie pour Léognan, espérons qu'elle sera arrivée assez tôt . . . » 15

Oui, plus Léonie y songeait, et moins elle voyait ce que ses enfants pourraient lui répondre. Elle comptait jouer la stupeur: « Eh quoi? vous ne me remerciez pas? » Elle ne doutait donc pas qu'ils ne dussent être indignés . . . Car il y avait un point qu'elle laissait dans 20 l'ombre : le sentiment qui liait Robert à Rosette Révolou, et, ce qui était moins grave, l'amitié de Pierrot pour le petit Denis . . . Moins grave? ce serait à voir: Robert était mou, sans volonté . . . Tandis que Pierrot, en pleine crise, un vrai fou, lui faisait peur quelquefois : les vers 25 idiots qu'il écrit, ces rêvasseries dont il se farcit la cervelle . . . Robert, lui, devait bien savoir que de toutes façons, son mariage n'était plus possible . . . Même sans tenir compte du déshonneur possible et de la ruine certaine des Révolou, avant qu'il en ait fini avec sa méde- 30 cine, l'internat, les concours, il faudrait des années . . . Il ne gagnerait pas sa vie avant trente ans . . . Même dans l'intérêt de la petite (c'est sur cela qu'il faudra

15

mettre l'accent), son devoir serait de la laisser libre, de
ne pas la compromettre.

*
*   *

Léonie Costadot avait atteint l'immeuble dont elle
occupait le rez-de-chaussée et le premier. Dans l'escalier,
5 elle pensa tout à coup que Robert devait être lui aussi,
au bal Fredy-Dupont: « Mais quand il s'apercevra que
Rose est absente, il reviendra . . . Il était déjà inquiet
des rumeurs qui couraient, cette après-midi . . . »
Elle vit de la lumière sous la porte de Pierrot, et, selon
10 sa coutume, entra sans frapper. Comme il lui arrivait
souvent, Pierre, en lisant dans son lit, s'était endormi;
le livre avait glissé sur la couverture. Il dormait à demi
assis, dans une position incommode, la tête rejetée, le
cou tendu comme pour être égorgé. A son chevet, un
15 crayon, des paperasses; et, large ouvert, un beau cahier
relié en cuir. Une lampe basse éclairait la page couverte
de l'écriture soignée, moulée, dont il usait quand il
recopiait ses vers. Léonie, armée d'un face-à-main hostile,
déchiffrait ce texte qui lui paraissait limpide et dont,
20 pourtant, le sens lui échappait: *Cybèle* [1] *regarde Atys* [2]
dormir, et songe:

Il dort. Je forcerai les dieux même à se taire.
J'anéantis le monde autour d'Atys qui dort.
Le sommeil a rompu le faisceau de ton corps.
25 Tes membres épandus se partagent la terre,
Doux serpents déliés qui feignent d'être morts,
Et Cybèle frémit jusque dans ses abîmes
De ce trouble abandon sans caresse et sans crime.

[1] Cybèle *Cybele, goddess of the earth.*
[2] Atys *a shepherd of Phrygia who deceived Cybele, who turned him into a*
pine tree.

16

« Qu'est-ce qu'il va chercher? qu'est-ce que ça signifier » se demandait-elle. Mais qu'y avait-il là qui pût
éveiller en elle cette irritation?

Que suis-je, être sans forme et que l'Océan ronge,
Moi qui ne puis tenir dans l'anneau de deux bras,   5
Reine à l'immense front que les tristes marées
Ceignent de varechs noirs, de méduses moirées?

D'où venait, à Léonie, cette rage sournoise, ce désir
honteux de déchirer, de mettre en pièces le beau cahier
anglais? Elle ne s'en rendait pas compte. Elle ne savait 10
pas que cette violence mal contenue était la même qui
soulevait Pierrot, et, qu'en ce moment où elle le haïssait
presque, c'était alors qu'elle lui ressemblait, non par le
cerveau ni par le cœur, mais par cette obscure puissance
de destruction dont elle se méfiait elle-même, car,   15
s'éloignant de la table, elle alla appuyer un instant son
front à la vitre. Pierrot cria: « Qui est là? », d'une voix
terrifiée.

— C'est moi . . . Robert n'est pas revenu?
— Il ne tardera plus maintenant . . . il ne devait 20
qu'entrer et sortir pour avoir des nouvelles . . .
Pierre montra, dans un bâillement, ses dents écartées.
— Tu as des nouvelles, toi maman?
— Oui, je viens de chez eux.
— Tu es allée place de la Bourse? [1]   25
Tout à fait éveillé, il l'observait d'un regard dur et
méfiant.
— C'était mon devoir, dit-elle.
Il pensa en lui-même: quelle hypocrite! Sa mère n'avait
pourtant jamais été plus certaine d'avoir accompli un   30
devoir à l'égard de ses fils, le devoir d'état par excel-

[1] place de la Bourse *the location of the Révolou city house.*

lence . . . Sans compter qu'elle avait pu alerter Lucienne.

— J'ai bien fait d'y aller : figure-toi que la pauvre femme ne se doutait de rien . . . Bien sûr, elle était dans des transes depuis des semaines, mais elle ne croyait pas que la catastrophe fût pour tout de suite . . .

— Alors . . . que lui as-tu dit ?

Léonie Costadot, déjà, se cabrait : de quel droit interrogeait-il sa mère sur ce ton ? On aurait dit vraiment qu'il la soupçonnait . . .

— Mais non, maman, je m'informe, simplement . . .

— Je n'ai pas de comptes à rendre à un morveux. Je parlerai à ton frère, dès qu'il sera rentré. Dors, et que je ne t'entende plus.

Elle sortit de la chambre en emportant la lampe. Ce n'était pas la colère qui la faisait agir : elle avait compris qu'il valait mieux voir Robert seul, hors de la présence de l'énergumène. A peine eut-elle le temps de revêtir une robe de chambre, elle reconnut les tâtonnements, le tour de clef hésitant de Robert. Elle toussa pour qu'il comprît qu'elle était éveillée, qu'elle l'attendait. Il avait son pardessus sur le bras. Comme toujours, Léonie fit réflexion que l'habit lui allait bien, que ce garçon mince avait plus d'élégance que Gaston, de qui la taille était ramassée. Et, bien que Léonie préférât le type de son fils aîné, la justice l'obligeait de reconnaître que Robert paraissait plus fin, plus racé . . .

— Naturellement, dit-il, de ce ton hésitant qui agaçait sa mère, elle n'était pas au bal. J'ai aperçu de loin Julien Révolou, mais n'ai pu le rejoindre. Il paraît que certains de ses amis lui ont fait sentir qu'il était indésirable . . . Alors, j'ai couru place de la Bourse . . . Ils venaient de partir.

A ce moment, Pierrot entra pieds nus, en pyjama, les cheveux dressés. Mme Costadot l'interpella:

— Je t'avais dit de dormir.

— Mon sommeil n'est pas à tes ordres.

Comme Robert protestait: « Voyons, Pierrot, pour- 5 quoi es-tu insolent? », il cria:

— Je suis sûr qu'elle n'a pas osé t'avouer d'où elle arrive . . . où elle est allée, ce soir . . .

— Je n'admets pas que tu dises « elle », en parlant de moi, en ma présence. 10

Mais Pierrot insistait: elle avait passé la soirée place de la Bourse, à leur insu! Robert tourna vers sa mère son beau visage défait:

— Ce n'est pas vrai, maman?

Elle demanda, d'un air de défi: « Pourquoi ne serait-ce 15 pas vrai? »

— Tu as vu M. Révolou?

— Non, il était parti pour Léognan. Je le savais, et j'en connaissais la raison que Lucienne ignorait . . . Comprends-tu? Je l'ai mise en garde; c'est grâce à moi 20 qu'ils sont partis pour le rejoindre. Au cas où il aurait eu des idées de suicide . . Je lui ai peut-être sauvé la vie, tout simplement!

Robert poussa un soupir:

— Puisque M. Révolou était absent, tu n'as pas pu 25 leur parler de notre argent . . .

Léonie Costadot ne répondit rien. Robert entendit son frère grommeler:

— Penses-tu qu'elle s'en est privée . . .

— Répète à haute voix, Pierre, ce que tu viens de 30 dire . . .

— J'ai dit que tu n'avais pas dû te priver de parler d'argent . . . Tu n'avais fait le voyage que pour ça.

Tout se passait ainsi qu'elle l'avait redouté. Robert et Pierre se dressaient devant elle comme des juges, alors que Gaston, lui, l'aurait admirée, remerciée . . . Impossible d'éviter la lutte . . . Le bon droit était de son côté.

5 Elle fonça:

— Il ne s'agissait pas de mon argent, mais du vôtre: celui de votre père. S'il m'avait appartenu, j'aurais pu faire la généreuse . . .

Robert l'interrompit: puisque l'argent leur apparte10 nait, ils restaient libres de ne pas le réclamer . . .

— Tu oublies Gaston qui n'a pas les mêmes raisons que vous . . . Tu oublies que Pierrot a dix-huit ans et que, jusqu'à sa majorité, moi, sa mère et tutrice, je défendrai ses intérêts malgré lui . . .

15 — Enfin, insista Robert, tu les as tourmentées pour rien, puisque M. Révolou était parti . . .

Elle le regarda avec pitié: il était vraiment trop bête; il n'y a pas plus désarmé dans la vie que ces garçons qui se croient des aigles.

20 — Rassure-toi, nous avons parlé en amies, Lucienne et moi.

Robert voulut savoir si Rosette était présente. Mme Costadot secoua la tête.

— Et Denis? demanda Pierrot.

25 Non, non, ils avaient tous deux quitté la chambre . . . Elle cherchait à mettre ses fils au courant de sa réussite. C'était tout de même incroyable qu'il fallût prendre des gants pour annoncer à ces petits imbéciles: notre notaire est en déconfiture, mais, grâce à moi, vous n'y perdrez 30 rien.

— Lucienne, je dois dire, a été très bien, très digne. Elle a tout de suite compris que son mari avait des devoirs particuliers envers les orphelins.

— Quels orphelins? Nous ne sommes pas orphelins, protesta Pierrot.

Depuis son enfance, il détestait ces mots: « orphelin », « orphelinat », « orpheline ».

— Lucienne m'a dit d'elle-même que la somme qui nous était due se trouvait être justement celle dont elle pouvait disposer: quatre cent mille francs.

Pierre cria: « Comme ça se trouve! »[1] Sa mère ne releva pas l'insolence. Elle souffrait d'avoir peu à peu glissé au mensonge qui n'était pas dans sa nature. Mais elle y avait été poussée par les « deux nigauds », comme les appelait Gaston.

— Quatre cent mille francs, répéta Robert d'une voix altérée, mais elle ne les avait pas chez elle?

Quel naïf! Léonie Costadot haussa les épaules.

— Non, bien sûr! Elle ne les avait pas dans son porte-monnaie! mais sa signature m'a suffi . . .

— Ce ne doit pas être légal . . .

— Ne t'inquiète pas . . . Il y aura peut-être des procès avec les autres créanciers, c'est même probable . . . mais je suis parée, je suis sûre de gagner.

Comme il ne répondait rien, elle crut avoir gain de cause.

— Vous pensez que j'avais consulté d'abord, que j'avais travaillé avec Mᵉ[2] Lacoste, que toutes nos précautions étaient prises . . .

Maintenant leur silence la gênait. Elle était séparée d'eux par une mer: à quoi leur eût-il servi de se parler d'une rive à l'autre? Les deux frères étaient assis côte à côte sur la chaise longue, au pied du grand lit. Ils baissaient la tête tous les deux et la lampe baignait de reflets leurs cheveux d'un blond roux, ceux de Pierrot presque

---

1 Comme ça se trouve *How convenient!*
2 Mᵉ *abbreviation for* Maître, *a title applied to notaries.*

21

bouclés, et déjà bousculés par le sommeil, ceux de Robert aplatis, partagés par une raie, frisottant un peu sur la nuque.

— Dès que je les aurai touchés, dit Robert, je les
5 remettrai à leur disposition . . .

— Pardon, protesta Léonie, vous en avez la nu-pro-priété, mais j'ai droit à l'usufruit.

Comme Pierrot gouaillait: « Tu m'en diras tant! »,[1] elle éclata:

10   — C'est très beau, mes petits, votre mépris de l'argent . . . oui, très beau! mais de quoi donc croyez-vous que vous viviez? Sais-tu, Robert, ce qu'a coûté cet habit qui te va si bien? Et toi, Pierrot, qui ne supportes pas qu'il n'y ait, le soir, que de la viande froide, as-tu examiné de
15 près la note que j'ai dû payer à ton libraire, à ton relieur? Gaston me coûte cher, mais lui, du moins, il le sait, il s'en excuse, il me remercie. Il ne se donne pas, comme vous, les gants de me juger:[2] je suis une femme sans idéal, n'est-ce pas? qui ne pense qu'à détacher des coupons,
20 qu'à toucher des loyers, tandis que vous marchez les yeux au ciel et payez des prix ridicules un tas de livres sans queue ni tête . . . Moi, je suis tout juste bonne à nourrir, chauffer, éclairer, habiller votre guenille, à vous payer des domestiques dont vous seriez bien in-
25 capables de vous passer. C'est une honte que vous preniez ces grands airs avec une mère qui ne dépense rien pour elle: vous vous êtes assez moqués de mes fourrures pelées, de mes robes faites à la maison. Cet argent que vous méprisez mais dont vous jouissez, vos grands-pères l'ont
30 amassé par toute une vie d'efforts, de privations . . . Il devrait vous être sacré . . .

1 Tu m'en diras tant *You don't say!*
2 Il ne . . . juger *He does not, like you, take it upon himself to judge me.*

Elle sentait qu'elle pouvait y aller, qu'elle leur avait rivé leur clou. Robert balbutia que ce n'était pas sa faute si les études médicales duraient tant d'années. Sa mère, apaisée, répondit qu'elle ne le lui reprochait pas, qu'il avait tout le temps, l'essentiel était qu'il réussît. 5

— Mais ce petit imbécile, reprit-elle en haussant la voix, et tournée vers Pierrot, est encore à l'âge d'être dressé, et il faudra que ça change.

Pierrot baissait la tête. Et plus sa mère le sentait atteint, plus elle s'acharnait: c'était très commode, très 10 agréable, de rimailler toute la journée, au lieu de préparer sa philosophie . . .[1] Les vers, ça ne mène pas loin, et, même quand ils sont bons, ça n'a jamais nourri son homme;[2] mais quand ils ne veulent rien dire . . .

Pierrot se leva et, sans un regard à sa mère, sortit. 15 Dégrisée, elle s'arrêta, un peu honteuse. Peut-être avait-elle eu tort, mais il lui en faisait trop voir . . .[3]

— Tu as tort sûrement, dit Robert. Il faut penser à son âge . . .

— Qu'est-ce que ça signifie? il n'est pas différent des 20 autres !

— Si, il est différent des autres.

Elle protesta: la vérité c'était qu'il manquait ici le chef de famille qui aurait mis l'enfant au pas. Au fond, Léonie ne doutait pas que Pierrot ne fût différent des 25 autres, mais elle niait qu'il fût supérieur. Fille, petite-fille, belle-fille des grands commerçants qui étaient la gloire de la place, elle s'était fait d'après eux une certaine idée de la valeur d'un homme. Elle croyait savoir

---

1 sa philosophie *In the last year of a lycée the student chooses either a year of mathematics or a year of philosophy.*
2 ça n'a . . . homme *that has never made a man a living.*
3 il lui . . . voir *he was making it too obvious to her.*

ce que signifie l'expression: c'est un monsieur, c'est quelqu'un.

— Enfin, conclut-elle, il me reste à vous demander pardon de vous rapporter une fortune, ce soir . . . Je m'en
5 doutais . . . mais tout de même . . .

— Que veux-tu que ça me fasse, cet argent . . .[1] j'ai tout perdu, moi . . .

Sa mère se réjouit de cette parole, tout en le plaignant: pour une fois, elle se félicitait de ce qu'il eût si peu de
10 volonté; déjà cela ne faisait plus question pour lui: il avait sans lutte renoncé à la petite Révolou. Se gardant de le heurter de front, elle plaignait Rose: « une victime . . . et tellement attachante qu'on aurait peut-être pu passer sur la honte de son nom. Mais Robert savait
15 bien qu'il n'était pas en situation de fonder un foyer. Avant la catastrophe, les Révolou avaient laissé entendre qu'ils hébergeraient le jeune ménage, mais maintenant . . . » Robert risqua de sa voix faible:

— Ne pourrions-nous vivre ici?
20 — Tu es fou? Où ça? dans ta chambre? Et quand l'enfant naîtrait? Et puis tu oublies que tu aurais toute cette famille à tes crochets . . . Toi, c'est-à-dire moi . . . Allons! allons! il faut être fort, mon petit. Oui, c'est dur, je le sais, conclut-elle en prenant par les épaules le
25 grand garçon en larmes.

Robert savait que c'était sur sa faiblesse qu'elle comptait, il savait qu'elle ne serait pas déçue. Que répondre d'ailleurs? Qu'auprès de Rose il se sentait un autre homme, plein d'espoir, de courage? Mais ces pensées à
30 peine exprimées seraient jugées par sa mère et réduites à rien.

---

1 Que veux-tu . . . argent *What do I care about this money?*

Avant d'entrer dans sa chambre, il passa chez Pierrot qu'il trouva assis sur son lit.

— Couche-toi, vieux, il est plus de minuit.

Le petit sans regarder son frère gronda:

— Leur sale argent . . .

— On ne se comprend pas, gémit Robert. La pauvre maman a cru bien faire, ce soir. Elle a agi en chef de famille. Elle a peut-être raison de nous trouver ingrats . . .

— Ce n'est pas de ça qu'il s'agit — et Pierre secouait la tête le regard fixe — je lui en veux d'avoir eu raison contre nous, ou plutôt je m'en veux de n'avoir rien pu répondre. Je hais l'argent parce qu'il me tient. Il n'y a pas d'issue, j'ai réfléchi à tout ça: on n'échappe pas à l'argent. Nous vivons dans un monde dont l'argent est la substance. Maman a raison: se révolter contre lui c'est se dresser contre le monde même, contre la vie . . . Ou alors il faudrait renouveler la face de la terre . . . Il reste ça . . .

— Quoi, ça? . . .

— La révolution . . . ou Dieu . . .

Les mots démesurés emplirent la petite chambre tiède et close pleine de livres, de reproductions de tableaux, de moulages grecs. Robert debout attira contre lui la tête de son frère.

— Ne dis pas de bêtises . . .

Pierrot, sans répondre resta la figure cachée contre Robert qui, debout, regardait sur la table de chevet le cahier ouvert à la même page que leur mère déchiffrait tout à l'heure. Il lisait et relisait:

Que suis-je, être sans forme et que l'Océan ronge,
Moi qui ne puis tenir dans l'anneau de deux bras,

25

Reine à l'immense front que les tristes marées
Ceignent de varechs noirs, de méduses moirées?

— Écoute, dit soudain Pierrot en s'accrochant aux
épaules de Robert, tu ne vas pas la plaquer, dis? tu ne
5 vas pas plaquer Rose Révolou?
L'aîné soupira, en se dégageant de son étreinte.
— Que faire? Tu le dis toi-même . . . on est ligoté.

3

Dès que Léonie, emportant l'acte comme un trophée, eut quitté la maison, Lucienne Révolou pénétra chez Rose. Sa coiffure n'avait pas bougé, le croissant d'émeraudes brillait toujours sur le chignon haut. Mais elle n'avait plus sa rivière de diamants ni ses bagues. Denis les aperçut dans son sac entr'ouvert où elle prenait sans cesse un mouchoir pour tamponner ses yeux. Les enfants regardaient pleurer cette créature toute-puissante, leur mère. Ils n'osaient pas se jeter dans ses bras.

— Vous avez entendu? demanda-t-elle.

Denis dit à haute voix le mot qui peignait le mieux ce qu'il ressentait depuis dix minutes, cette impression d'être sous des décombres qui ne l'auraient pas tué: « On est écrasé vivant ! » Rose pleurait à petit bruit, la tête dans l'oreiller. Elle pleurait sur elle, sur son amour, sur son bonheur qui ne naîtrait jamais. Mᵐᵉ Révolou s'adressa à Denis comme s'il eût été un homme et lui demanda ce qu'il fallait faire.

— Partir pour Léognan, tous et tout de suite. Et prendre en passant Julien chez les Fredy-Dupont.

— Non, supplia-t-elle, pas chez les Fredy-Dupont, on doit savoir déjà . . .

Denis promit d'entrer par l'escalier de service, mais cette épreuve leur fut épargnée: au moment où la famille montait dans le landau, ils virent arriver le blême **Julien** en habit à qui plusieurs camarades avaient glissé:

— Ce n'est pas ta place ici, rentre chez toi.

*

* *

Dans la voiture, Mme Révolou à tue-tête à cause des
5 pavés,[1] mettait Julien au courant de la scène atroce. Il paraissait assommé autant que peut l'être un garçon pour qui tout ce qui touche au monde avait une valeur absolue et dont on vantait la correction, les manières parfaites. Il essuyait machinalement son monocle, et quand
10 il parla, ce fut pour donner des chiffres d'une voix nasale et tranchante:

— Vous admettrez, disait-il, cherchant à établir le budget de Régina Lorati, que rien que les chevaux, la livrée, représentaient au bas mot . . .
15 Cet « au bas mot » revenait sans cesse. Il se grisait de ses calculs, s'y accrochait, plus atteint qu'aucun de ceux qui se trouvaient là, ne sentant pas encore le coup, mais blessé à mort, lui dont on guettait le salut, la poignée de main, le fils Révolou, membre de l'Union, le
20 plus beau parti . . .

— En tout cas, nous payerons! répétait-il.

De nouveau, il jonglait avec les évaluations: l'étude valait tant, et Léognan, l'hôtel de la place de la Bourse . . . Sa mère se retint de dire que tout devait
25 être hypothéqué. L'ardeur de Julien tomba parce qu'on ne lui répondait plus. Sa tête plate, pauvre en cheveux, oscillait, au hasard des cahots.[2] Tout à coup, Mme Révolou cria d'une voix forte:

1 à cause des pavés *on account of the (jostling due to the) rough pavement.*
2 au hasard des cahots *at the mercy of the bumps.*

28

— Non, il ne me fera pas ça! Non, ce serait le comble!

Les enfants comprirent qu'elle songeait au suicide, sauf peut-être Rose, prisonnière encore de son désespoir. Les deux autres n'avaient cessé d'avoir présent à l'esprit ce suicide possible, Julien en homme du monde qui considère que dans certains cas il vaut peut-être mieux disparaître et sortir de la vie comme d'une salle où l'on a triché. Denis y songeait aussi, adolescent que tout drame passionne et qui a le goût inavoué de la catastrophe. Bien loin de repousser cette imagination, il s'y attachait au contraire, persuadé (malgré les démentis quotidiens des faits) qu'un malheur auquel il avait pensé d'avance ne pouvait arriver, nos pressentiments, croyait-il, ne coïncidant presque jamais avec le réel. Ainsi Denis composait-il un décor, une mise en scène: les grandes grilles ouvertes, l'affolement du personnel, les tapis persans souillés par les allées et venues de la police.

Pour Mme Révolou, elle continuait de répéter: « S'il m'a fait ça! » comme si ce n'eût pas été à lui d'abord que le malheureux eût fait ça! [1] La crainte qu'il fût mort la transperça. Elle cria au cocher de presser les chevaux.

Le landau roulait sur la route des vacances. Les chevaux et les roues éveillaient les faubourgs naguère contemplés par Denis au soir de la distribution des prix, dans un crépuscule de juillet. Le vent pluvieux, ce soir, agitait les lambeaux d'une affiche de corrida qu'il avait remarquée l'été précédent. Parfois un mastroquet brillait; des hommes étaient collés au comptoir. Denis avait pris la main de Rosette qui n'épouserait pas Robert Costadot. Il ajoutait par précaution quelques touches à

1 comme si . . . ça *as if the unfortunate man had not already done that to himself.*

la scène imaginée du suicide, persuadé qu'il allait dans un instant trouver le château endormi.

— D'ailleurs, dit-il à haute voix, Landin doit être arrivé. On peut se fier à Landin . . .

5 Sa mère gronda: « Ah ! celui-là ! »

— Bien sûr ! c'est lui qui menait tout, dit Julien. Père s'était livré à lui . . .

— Il faudra tâcher de voir clair dans son jeu . . .

— Oh ! c'est un malin . . . Tu peux être sûr qu'il a mis
10 sa responsabilité à l'abri.

— Sa responsabilité? et quelque chose de plus, sans doute . . . Tout le monde ne sortira pas ruiné de cette affaire.

La mère et le fils s'acharnaient sur Landin, sans
15 preuve, sans autre raison que leur haine. Denis éprouvait du dégoût pour Landin, mais il avait, comme quelques garçons de son âge, la passion de la justice. Pourtant il ne protestait pas. Il se moquait bien de Landin ! On approchait. L'odeur de la campagne d'hiver étonnait ses
20 narines. La vie serait autre que ce qu'il avait imaginé. La vie . . . Il se ferait une vie. Et tout à coup il sentit sur son épaule la tête de Rose. Elle avait épuisé toutes ses réserves de larmes, elle ne pleurait plus.

Le landau s'engagea dans le chemin qui longe le parc
25 et aboutit au portail des communs.[1] Il était inimaginable que les scènes tragiques agencées par Denis avec tant de précision se fussent produites. Il savait bien que le don de prophétie n'existe pas. Les roues faisaient sur le gravier ce bruit familier associé à la joie des vacances.
30 Tout dormirait, tout reposerait dans le calme de ces nuits où il ne se passe rien. Oh ! Dieu ! déjà la fiction s'insérait dans le réel. Déjà les songes de Denis venaient à

1 portail des communs *back door*.

sa rencontre. Toutes les fenêtres du château étincelaient, au point qu'il crut d'abord au feu.[1] Une grande flaque de lumière luisait sur le perron mouillé. Julien balbutia: « Il est arrivé quelque chose . . . » Lucienne Révolou répétait des mots qui devaient être ceux d'une prière: « Faites que ce ne soit pas . . . faites qu'il n'ait pas fait ça . . . »

Denis songeait qu'il allait voir un mort, qu'il serait obligé de voir ce qu'il n'avait jamais vu encore et dont la seule pensée le glaçait d'horreur. Pauvre Denis pour qui c'eût été une aventure que de pénétrer dans cette chambre où quelqu'un était mort l'année de sa naissance, il ne doutait plus maintenant que son père allait lui apparaître dans l'une des positions qu'il avait imaginées au cours de ce trajet en landau: écroulé, la face contre sa table, à moins qu'on ne l'eût étendu sur son lit . .

*
* *

Et déjà ce qu'il avait prévu s'accomplissait: Cavailhès, l'homme d'affaires, guettait leur arrivée, faisait signe au cocher d'arrêter devant le portail. Il tenait un à un les propos que Denis lui avait mis dans la bouche: « Le brigadier de Léognan n'a pas encore permis qu'on bouge le corps. Il veut d'abord interroger Madame . . . Pensez-vous ! on n'a pas entendu le coup ! C'est M. Landin qui s'occupe de tout . . . »

Les quatre Révolou se tenaient au bord de la route. Les robes de bal de la mère et de la fille recouvertes par des manteaux sombres, traînaient dans les flaques. Les lanternes du landau, le falot que balançait Cavailhès éclairaient, révélaient ces quatre visages, ces quatre

1 au point . . . feu *to the point that at first he believed it was afire.*

31

cœurs. Déjà Lucienne se murait dans son malheur, s'en entourait comme d'une défense; elle avait le droit de ne plus s'occuper de rien, de s'abandonner, d'être brisée; nul n'y trouverait à redire.[1] Pour Julien, dépouillé de
5 tout ce qui le soutenait en ce monde, il ne restait de lui qu'un pauvre être sans âge au crâne fuyant, à demi chauve, le menton ravalé, un myope privé de lorgnons et qui ne pouvait supporter d'entendre Cavailhès dire: « Monsieur est le chef de famille, maintenant . . . M.
10 Landin dit qu'on ne peut prendre aucune décision sans Monsieur . . . » Julien protestait: non, non, à Landin de décider de tout, ce qu'il ferait serait bien fait . . .

— Mais Julien, dit Rose d'un ton de reproche, Landin ne doit pas se substituer à nous . . .
15 D'une voix qui ne tremblait pas, elle encourageait sa mère, l'entraînait. Rien ne pouvait plus l'atteindre, maintenant qu'elle avait tout perdu. C'était elle qui les guidait vers le château, qui ordonnait à Cavailhès de prendre Denis et de le confier à sa femme (elle avait été
20 la nourrice de Denis).

Dans les bras qui l'emportaient, Denis faisait-il semblant d'être évanoui? Cavailhès, sous le poids de ce grand corps de seize ans, ne faiblissait pas. Il traversa le parterre d'un pas ferme, ouvrit d'un coup de pied la
25 porte de sa maison. Denis, les yeux clos, entendit les cris de sa nourrice. Il fut étendu sur le lit, déshabillé. Du vinaigre le fit éternuer, il sentit à ses pieds la brûlure d'une bouillotte. Il était bien, étendu. Maria Cavailhès renouvelait des compresses sur son front. La chambre
30 sentait le confit, le rance. Il appuyait la tête contre le corset de Maria qui l'endormait d'un flot de paroles: le pauvre monsieur avait eu dix minutes, plus qu'il ne faut

1 nul n'y . . . redire *no one would dare to protest.*

pour demander pardon au Bon Dieu. Landin croyait qu'on pourrait payer tout le monde et sauver peut-être Léognan, du moins le château. On vendrait les terres.

C'était le point intéressant: depuis des années, les Cavailhès espéraient que leur maison et le jardin potager seraient à eux. Ils seraient chez eux, mais continueraient à s'occuper de toute la famille. Cavailhès, lui, montrait parfois le bout de l'oreille:[1] il disait que le château sans les terres se vendrait pour un morceau de pain: personne n'en veut plus maintenant de ces grandes baraques. L'argent qu'il avait de côté ne devait rien à personne: M. Oscar lui avait permis de s'occuper des chais des environs . . . Et puis les commissions sur les marchés, c'est reçu, c'est correct . . .[2] Mais Maria ne voulait pas profiter du malheur des Révolou jusqu'à prendre le château. Cependant Denis songeait: « Je ne pourrai plus aller au collège . . . Nous vivrons ici, avec les poulets, les légumes. »

                    *
            *   *

Maria Cavailhès avait quitté la chambre sur la pointe des pieds en laissant une bougie allumée. Étendu sous l'édredon bossu, Denis organisait une vie de cocagne. Son travail serait d'aller à l'affût des grives, de tendre des nasses. On mangerait du pain de seigle. Plus question que Rosette se marie, ou du moins pas avant des années. Plus tard, peut-être, bien plus tard . . . En tout cas, pour le moment, c'était écarté . . . Il gonfla sa poitrine, étira ses membres sous les draps. « Oui, mais le mort . . . »

Ainsi songeait confusément Denis, qui n'était pas un

---

1 Cavailhès . . . l'oreille *Cavailhès sometimes gave a hint of his thoughts.*

2 c'est reçu, c'est correct *it is in order, it is correct.*

monstre, qui ne sentait pas encore dans sa chair l'absence éternelle de son père. Il était étendu dans ce grand lit. La paillasse bourrée de tiges de maïs faisait un bruit sec quand il se retournait. Les draps rugueux étaient bons à la peau. La bougie que Maria Cavailhès avait laissée et qui n'avait d'abord livré à ses regards que les carreaux rouges, la cretonne à ramages bleus et blancs, le lion effacé de la descente de lit, éclairait maintenant dans l'angle opposé un second lit dont un corps en boule gonflait la courtepointe et d'où s'élevait un souffle calme et mystérieux.

Il n'y avait aucun autre meuble. Du grain était entassé dans un coin de la chambre, et des « paillons » de bouteilles. Denis aurait eu peur s'il y était demeuré seul. Mais, de ce corps prostré, émanait un souffle, une chaleur amie. Denis reposait sur la joue droite pour contempler de loin cette île, ce continent au-dessus des vagues de couvertures, ces cheveux indistincts comme une forêt confuse. Un coq chanta. Des bruits de pas, une rumeur de voix, le claquement d'une portière attestaient qu'au dehors se poursuivait une pauvre histoire humaine.

Mais l'aube allait poindre. Alors, Denis se leva. Il s'habilla en hâte. Dispensé de se laver, ce matin.

La porte de la cuisine était ouverte: les Cavailhès avaient dû passer la nuit au château. Des chrysanthèmes échevelés apparaissaient dans la brume. L'avenue était creusée d'ornières fraîches. Denis sentit sur sa poitrine les pattes boueuses de la chienne. Il remarqua devant le perron quelques roses grelottantes. Entrerait-il? Il fallait se décider: ce serait fait.

Sur le guéridon empire du vestibule, une lampe oubliée brûlait, sinistre, dans la lumière du matin. Derrière la porte du cabinet de son père, il entendit un murmure de voix, le bruit d'un tiroir refermé. Le grand divan de cuir disparaissait sous des chapeaux mous délavés, des pardessus de confection. Denis savait qu' « il » devait être déjà dans la chambre du premier étage dont les volets, sur le jardin, étaient mi-clos.

Il monte l'escalier, l'esprit vainement occupé de son père — ce père qui ne lui avait guère prêté d'attention, que n'intéressait pas son travail, ses succès; personnage masqué dont les questions discrètes n'appelaient aucune réponse. Pourtant, il était arrivé quelquefois qu'il découvrît Denis, l'attirât à lui; l'enfant se souvient de cette main sèche, jaunie de nicotine, de ces yeux marron sous les paupières fripées qu'éclairait une flamme si gaie et si tendre quand il les baissait vers son petit garçon. Plus souvent, il avait de brèves crises de tendresse pour Rose, lui apportait des fleurs, un parfum, parlait d'une croisière, d'un voyage à Paris . .

Denis n'hésita pas une seconde; il ne se donna pas pour entrer le temps de la réflexion. Ceux qui se tenaient assis autour de cette marionnette en habit, ne savaient pas que l'aube venait de naître. Le réservoir de cristal d'une lampe allumée était presque vide. Deux cierges encadraient un crucifix, la soucoupe avec une branche de buis. Denis regarda d'abord les deux pieds droits que le drap épousait. Le corps avait déjà la forme du sarcophage. Du pansement qui enveloppait la tête émergeaient, vivantes, les longues moustaches gris-blond.

Alors, Denis se mit à trembler comme un arbre, de la base au faîte. Qu'est-ce que ça faisait que ce fût son père ou un autre? C'était un mort, le mort que nous sommes tous en puissance. La seule vérité indubitable, la seule certitude.

La vague de désespoir refluait. Il regarda autour de

lui: ni sa mère ni Julien ne se trouvaient là, mais seulement M. Landin. Rose éteignit la lampe et dit à Denis de s'asseoir près de la fenêtre qu'elle venait d'entre-bâiller. Il but avidement le lait glacé de l'aube.[1]
5 De sa nouvelle place, il voyait Landin éclairé à la fois par les cierges et par le jour naissant. La douleur n'ennoblissait pas cette figure sans larmes. Landin était occupé à regarder le mort; il le contemplait avec une sorte d'avidité méthodique.
10 Il dut sentir le regard de Denis, car il tourna vers lui ses yeux de pervenche. S'étant levé, et contournant le lit, il alla parler à l'oreille de Rosette, puis se dirigea vers la porte en faisant signe à Denis de le suivre.
— J'ai besoin de vous, monsieur Denis. Votre frère
15 Julien s'est enfermé dans sa chambre. Il dit qu'il ne veut plus sortir, qu'il veut se laisser mourir de faim; ça lui passera, mais nous avons besoin de lui, l'aîné, le seul de vous qui soit majeur. Je n'ai aucune influence . . . Il ne m'aime pas beaucoup, vous savez . . . Mais vous, vous
20 lui parlerez, vous lui rappellerez qu'il doit vous tenir lieu de père . . .
La chambre du vivant sentait plus mauvais que celle du mort. Denis courut à la fenêtre, poussa les volets. Julien dressa un crâne au-dessus des draps.
25 — Veux-tu refermer, bon Dieu! Qui t'a permis?
Et comme Denis répétait docilement qu'on avait besoin de lui, en bas, la tête chauve se cacha de nouveau sous les couvertures: qu'on le laisse crever, tout lui était égal, maintenant.
30 — Mais, Julien, tu es l'aîné, tu es majeur . . . Tu . . .
— Si j'étais idiot ou fou, on se passerait de moi . . . Eh! bien, je suis idiot ou fou, à votre choix. Je ne sors
1 Il but . . . l'aube *He took in eagerly the cold air of the morning.*

plus de mon lit, tu entends? Je ne vois plus personne! Si
l'on ne me porte pas à manger, je crèverai, et le plus tôt
sera le mieux . . . Tu ne peux pas comprendre, à ton âge,
de quelle hauteur je tombe . . . Tu ne peux pas te rendre
compte (reprit-il avec une sombre exaltation). Tu ne 5
sais pas ce que ça représentait, le fils Révolou, dans la
société . . . la place qu'il occupait: la première, je peux
bien le reconnaître aujourd'hui. Quand on avait dit: le
fils Révolou . . . Comprends-tu ce que serait mon supplice? J'ai quelquefois refusé la main,[1] on ne me l'a 10
jamais refusée. Des gens que je ne saluais pas, ce seraient
eux, maintenant, qui feraient semblant de ne pas me
voir . . .

— Tu pourrais habiter une autre ville, risqua Denis.

— Habiter ailleurs qu'ici? Tu es fou? Non, non, je 15
serai très digne. J'ai déjà envoyé ma démission du club.
Mon sacrifice est fait: je disparais. Je disparais complètement, autant que le peut faire un homme à qui ses
principes interdisent le suicide. Je me laisse mourir. Que
l'immonde Landin, qui est responsable de tout, fasse le 20
micmac qu'il voudra, qu'il se débrouille au milieu de
tout ça . . .

— Mais il y a maman, Rose . . .

— Si j'étais neurasthénique, vous sauriez bien vous
tirer d'affaire . . . Eh! bien, mais c'est ça, la neuras- 25
thénie, cette horreur d'être vu, d'être rencontré!

On aurait dit un oiseau qui faisait son nid; il s'installait dans sa phobie, il la fabriquait peu à peu, la creusait,
l'arrondissait, s'y pelotonnait. Julien se retourna du côté
du mur et ne parla plus. 30

1 J'ai . . . main *I have sometimes refused to shake hands.*

37

4

Aᴘʀès que ses fils l'eurent quittée, Léonie Costadot
était demeurée assise sur son lit, trop lasse pour achever
de se déshabiller, lassitude qui venait de l'âme : jamais
elle n'oublierait cette figure décomposée de Lucienne
5 pendant qu'elle lui arrachait les quatre cent mille francs.
« Ai-je été trop dure? Non, j'ai fait mon devoir . . . »
Mais, une fois de plus, elle découvrait que les arguments
de ses fils l'avaient atteinte. Ils réussissaient toujours à
la troubler, à éveiller ses scrupules. Elle leur en voulait
10 d'entretenir sa mauvaise conscience. Si elle n'avait pas
eu à subir leur jugement, peut-être eût-elle dormi, cette
nuit-là.
   Les partages . . . Les partages . . . Ce n'était pas la
première fois que cette idée lui venait. Elle ne s'y était
15 pas arrêtée parce qu'il aurait fallu émanciper Pierrot.
Mais après tout, pourquoi pas? Il laisserait sûrement à
sa mère la gestion de ses biens — à elle, ou à ses frères :
ce n'était guère risquer. Pour Robert, rien à craindre :
avec son caractère timoré, il aurait peur de tout perdre :
20 l'argent le tiendrait bien et saurait se faire obéir. Et
même Gaston . . . Il faisait des petites dettes tant qu'il
s'agissait de l'argent de sa mère ; mais c'était un faux
prodigue. Il aimait trop son plaisir pour risquer d'en
tarir la source.

Quelle revanche que de pouvoir leur dire: « cette fortune à laquelle vous vous imaginez que je tiens plus
qu'à tout au monde, je vous l'abandonne, je ne me réserve
que le nécessaire pour n'avoir pas à tendre la main . . . »

❋

❋   ❋

Elle dormit trois heures et fut réveillée par un bruit de ₅
journal froissé. Elle ouvrit les yeux, elle entendit la
voix de Pierrot: « Il s'est tué cette nuit . . . » Sur la
chaise, au pied du lit, Robert pleurait.

— Voyons, raisonnons, j'ai été place de la Bourse vers
dix heures et demie. L'événement s'est produit un quart ₁₀
d'heure après. Il n'existe donc aucun lien entre la signature que m'a donnée Lucienne et la mort de son mari. Je
ne vois pas pourquoi vous me torturez. Il est même
malheureux que j'aie résisté toute la journée à l'idée de
tenter cette démarche. Si je m'y étais résolue dans l'après- ₁₅
midi, Oscar serait encore vivant. Alors quoi? qu'est-ce
que vous avez à me regarder comme ça?

Elle aurait préféré des reproches, des insolences. Pourquoi se tenaient-ils là, muets, n'essayant même pas de
l'introduire dans leur monde à eux? Pourquoi lui fai- ₂₀
saient-ils l'injure de la croire incapable de comprendre
ce qu'ils souffraient? L'amour de Robert . . . l'amitié de
Pierrot . . . N'avait-elle pas eu un cœur, elle aussi? Il
avait même battu autrefois pour le beau jeune homme
Oscar Révolou, celui dont le journal de ce matin . . . ₂₅
Elle implora leurs visages fermés. Aucun espoir: elle
ne forcerait pas ce barrage de mépris . . . A moins
que . . . Tout à coup la pensée lui vint qu'elle avait
agitée une partie de la nuit: les partages. Quelle tentation que de leur jeter cette offre à la figure! Non, elle ₃₀

39

n'avait jamais tenu à l'argent, sinon pour ses fils. Elle n'y tenait plus, en tout cas, elle ne tenait plus à rien, elle avait manqué sa vie,[1] l'avait sacrifiée à des fils qui ne la comprenaient pas. Qu'on la laisse finir en paix, dans
5 un coin. S'ils s'imaginaient qu'elle s'intéressait à ses immeubles ! Toutes les lois sont contre le propriétaire . . . Le droit de propriété n'est plus qu'un mythe. Non, elle ne tenait plus à rien qu'à voir s'étonner, s'éclairer ces figures de juges . . . Elle ne résista pas:
10 — D'ailleurs, mes enfants, c'est bien simple: cette nuit alors que j'ignorais encore la mort d'Oscar Révolou, j'avais pris une décision irrévocable et qui changera vos idées à mon égard, du moins je l'espère. J'ai résolu de faire les partages. Mais oui ! vous avez bien entendu. Il
15 ne s'agit que d'émanciper Pierrot qui a dix-huit ans. J'en courrai le risque. Je compte qu'il sera raisonnable, qu'il me laissera le soin de gérer sa part.

Elle fut déçue: les enfants ne manifestaient aucun étonnement. Ils ne l'avaient pas comprise ou bien ils ne
20 la croyaient pas. Elle insista. N'avaient-ils pas bien entendu? Ne comprenaient-ils pas l'importance de ce qu'elle leur proposait?

— Les partages? de ce qui nous revient de papa?

— Et aussi de tout ce qui m'appartient en propre.[2]
25 Naturellement, je me réserve une rente. Dame! il faut vivre.

Pierrot ne retenait de cette offre que l'horreur des mêmes mots éternels: titres, rentes, immeubles. Son dégoût n'était pas moindre parce qu'il s'agissait de les
30 partager.

— Non, pauvre maman, disait Robert, tu nous offres

---

1 elle avait manqué sa vie *she had made a failure of her life.*
2 tout ce . . . propre *all that is rightfully mine.*

ça dans un moment de désarroi . . . mais une fois la chose faite, tu ne t'en consolerais pas. Tu sais bien que ce n'est pas sérieux.

Elle protestait, ivre de sacrifice:

— Je te répète que j'y ai pensé toute la nuit, alors que 5 j'ignorais tout du drame de Léognan. Vous me croyez intéressée, rien ne vous enlèvera cette idée de la tête . . . Si pourtant je vous abandonnais tout, si je ne gardais que ce qu'il faut pour ne pas mourir de faim?

Ils paraissaient émus enfin. Pierrot demanda: 10

— Alors? Robert pourrait épouser Rose?

Elle n'hésita pas:

— S'il le voulait! Évidemment, il ne faut pas vous monter la tête: vous serez moins que riches. Les immeubles ont perdu la moitié de leur valeur . . . Les rentes 15 baissent; notre fortune était déjà très diminuée. Partagée en trois, et une fois ma pension servie . . . Non, ne te fais pas d'illusions: il ne te restera pas de quoi entretenir toute la famille Révolou . . .

— Ça le regarde, interrompit Pierrot. 20

— Oui, ça ne regarde que lui. Mais même s'il décidait de se mettre la corde au cou,[1] je ne changerais rien à mes projets.

Pierrot observait avec angoisse son frère qui fumait un peu à l'écart, comme si ces choses ne le concernaient 25 pas.

— A quoi penses-tu, Robert?

Il répondit, de sa voix hésitante, qu'il se demandait s'il devait aller à Léognan.

— Non, décida Léonie. Votre présence leur serait 30 pénible. Écris à la petite, Pierrot se chargera de Denis. Et moi j'écrirai à Lucienne. Je compte sur toi, mon en-

1 se mettre la corde au cou *to put his neck in the noose.*

41

fant, pour ne pas t'engager avant de connaître exactement tes ressources. D'ailleurs, le temps d'établir les évaluations, les lots et toutes les formalités . . .

— Bien sûr! interrompit Pierrot, ce n'est pas encore
5 fait. Attendons que ce soit fait.

Des larmes montèrent aux yeux de Léonie Costadot. Les garçons en furent troublés. Pierrot se pencha pour l'embrasser, mais elle se dégagea:

— Non, laissez-moi . . . Vous êtes des ingrats. Ce que
10 j'ai résolu de faire, ce n'est pas dans l'espoir que vous me rendiez jamais justice. Quand je serai dépouillée de tout, vous inventerez encore des raisons pour me mettre plus bas que terre. Je vous connais: vous êtes des sans-cœur. Gaston est léger, lui, il fait le mal sans y penser, il suit
15 ses instincts, bien sûr! mais, au moins, il a du cœur . . . Non, non, allez-vous-en, laissez-moi.

— Ce qu'il y a de triste, disait Pierrot à son frère qui l'avait suivi dans sa chambre, c'est que moi qui suis bouleversé par les larmes des autres, qui n'ai jamais pu
20 les supporter, celles de maman, tout à l'heure, ne me touchaient pas. On est méchant ou bon, suivant les êtres, tu ne crois pas?

— Et pourtant, dit Robert, nous avons dérangé sa quiétude; elle n'a plus confiance dans l'échelle des valeurs
25 qui lui avaient servi jusqu'à présent. Tu peux être certain que ces partages, elle les fera . . . C'est toi qui en as de la chance! cria-t-il tout à coup. Que vas-tu faire de tout cet argent, mon petit Pierrot?

— Comment? moi? J'aurai de l'argent?
30 — Bien sûr, puisqu'on t'émancipe.

Il regarda son frère et, avec élan:

— Je te le donnerai, Robert, pour ton mariage.

42

L'aîné lui mit la main sur la tête:

— Tu es fou, mon garçon!

— Tu ne voudrais pas qu'à dix-huit ans . . .

On eût dit qu'une maladie dont il n'avait redouté la venue que pour l'extrême fin de sa vie, surgissait tout à coup, au seuil de la première jeunesse, et qu'elle allait fondre sur lui. Pauvre Pierrot! pourquoi serait-il plus fort que les autres? A moins de fuir . . . de laisser aller les choses jusqu'à ce que tout fût accompli et que Robert eût reçu sa part . . . Alors, il s'en irait, une fois la dernière signature donnée, et le mariage accompli, il s'en irait il ne savait où, il travaillerait, il n'aurait que ses bras, que ses mains.

43

5

Denis se souvint, plus tard, sans amertume, des jours qui suivirent l'enterrement presque clandestin. Sa mère, Rose et Landin partaient à l'aube pour aller débrouiller les affaires et ne rentraient de la ville que le soir. Seul, 5 Julien, fidèle à son vœu, demeurait au château, confiné dans sa chambre. Denis vivait chez les Cavailhès. Il était entendu qu'il quitterait le collège et qu'il suivrait les cours de philosophie au lycée, à partir du second trimestre. Ces vacances inattendues lui étaient douces.

10 Tant qu'il faisait jour, le garçon ne s'ennuyait pas. Il n'avait jamais vécu l'hiver à la campagne et s'étonnait que décembre pût être aussi clément. Il aimait, contre le mur du midi, ce soleil radieux qui traversait en hâte la journée, s'épuisait à forcer la brume et, le temps d'une 15 brève victoire, entourait Denis de ses doux rayons fatigués. La campagne était moins grise qu'il n'eût imaginé. Mais qu'ils étaient courts, ces après-midi fragiles et menacés ! Il suffisait d'un petit nuage, et le soleil ne pouvait plus rien pour le monde transi.

20 Alors, Denis allait s'asseoir au coin du feu de Maria Cavailhès. Elle essayait de le faire parler; ils mettaient en commun leurs renseignements, et parfois, tout semblait s'arranger.

Vers six heures, Irène Cavailhès rentrait, prenait son

44

ouvrage, et Denis lui faisait la lecture, *Sans Famille* ou *Andromaque* ou *Phèdre*.[1] La présence de la fille lui donnait un trouble doux, une sorte de joie diffuse. Ils mangeaient lentement ce qui avait mijoté tout le jour sur un coin du fourneau, et l'odeur s'étendait parfois jusque chez les 5 maîtres. Vers neuf heures, les Cavailhès relevaient les bûches du foyer. Chacun rentrait dans sa chambre. Un peu plus tard, Denis était réveillé dans son premier sommeil, par le bruit des roues sur le gravier. (On avait gardé le landau durant les premiers jours, puis il fallut se 10 résigner au tramway.) Rose venait l'embrasser. Elle sentait le brouillard de la ville et répondait vaguement à ses questions: « C'est trop compliqué . . . je ne puis pas te dire . . . tout s'arrangera. Dors, mon chéri. » Elle demandait, d'une voix indifférente s'il n'y avait pas de 15 lettre pour elle. Il savait trop bien quelle lettre elle attendait ! « En tout cas, rien d'intéressant », répondait-il.

*
*　*

Ce jour-là, qui était un jeudi, Denis était appuyé contre le mur du potager. La serre, dont la porte était ouverte, exhalait une odeur de géranium et de terreau. Un garçon 20 approchait, poussant sa bicyclette. Il reconnut Pierrot Costadot qu'il n'avait pas revu depuis le soir où la mère Costadot avait fait, place de la Bourse, sa sinistre visite. Trop tard pour fuir. Denis comprit alors à quel sentiment obéissait son frère Julien: lui aussi, il aurait 25 voulu se cloîtrer, disparaître. Pierrot s'arrêta à quelques pas, et Denis comprit qu'il était bouleversé. Denis avait horreur de cette rencontre inévitable: il faudrait se dé-

1 Sans Famille *novel by Hector Malot;* Andromaque *and* Phèdre *plays by Jean Racine.*

45

battre au plus épais des sentiments faux, et jouer un personnage qui ne lui ressemblait pas, selon un modèle fourni par le petit Costadot.

— Tu ne me refuses pas la main? demandait timidement Pierrot.

Il appuya sa bicyclette contre la serre. Bien qu'il eût dix-huit ans, il n'était guère plus grand que Denis, mais c'était déjà un homme, large d'épaules; le soleil dorait ses joues mal rasées. Il transpirait malgré la saison et une goutte de sueur demeurait suspendue à l'extrémité de son petit nez courbe. Comme Denis prenait la main qu'il lui tendait, il dit avec élan:

— Je savais que tu serais généreux ... Nous vous avons fait tant de mal ...

Denis haussa les épaules:

— Ne parlons pas de ça, dit-il avec lassitude. Tu n'y es pour rien.[1]

— Il faut que tu le saches, Denis, tout cela va peser sur ma vie.

L'autre dit: « Vraiment? » d'un ton qui signifiait qu'il se sentait fort loin d'attacher de l'importance à ce qu'allait lui confier Pierrot.

— Jamais je ne pardonnerai à ma mère ce qu'elle vous a fait ... Tu crois peut-être que rien ne sera changé pour moi? Eh bien! si ... mais ce que je vais te confier, tu me jures de n'en parler à personne? Écoute bien, voilà: je vais partir.

Denis ne manifesta aucune émotion, pas même de surprise:

— Depuis le temps que tu en parles![2]

Pierrot protesta que cette fois c'était sérieux. Une

1 Tu n'y es pour rien *You have nothing to do with it.*
2 Depuis . . . parles *You've been saying that for a long time!*

46

seule pensée l'arrêtait encore: Denis l'avait devinée, bien sûr? Et comme l'autre secouait la tête:

— C'est de te quitter, mon vieux ... Toi, tu t'en moques?

— Oh! moi ... j'attends que tu sois parti pour me désoler ...

— Écoute, Denis, j'avais pensé ...

Il s'était rapproché de son ami distrait et lança tout à coup:

— Si nous partions tous les deux?

Il s'attendait à des récriminations, à des moqueries, mais non à cette indifférence, à cette inattention de Denis. L'avait-il seulement entendu? Le petit Costadot se reprit:

— Je disais ça pour rire ... Je sais bien que tu ne peux quitter ta famille en ce moment ...

Denis se retenait de lui demander: « Ton frère a-t-il renoncé à Rose? » Rien d'autre n'existait pour lui que cette terreur qu'il n'y eût pas renoncé. Aussi lorsque pour échapper au silence le petit Costadot se fut résigné à dire: « Il faut que je te laisse ... », Denis, hésitant, le suivit.

Ils approchaient de la grand'route. La bicyclette que Pierrot poussait devant lui dessinait dans la boue la trace écailleuse d'un serpent. Se reverraient-ils jamais? Leur amitié était-elle morte? A cette minute même, où Pierrot ne doutait plus que tout ne fût fini entre eux, Denis l'interrogea soudain sur le ton de leurs propos habituels:

— Où en est *Atys*? demanda-t-il.

C'était tellement inattendu que le petit Costadot ne put répondre d'abord. Il s'était arrêté contre un des ormeaux de la route, il avait relevé son col:

47

— Ça t'intéresse encore?

Denis répondit: « Tu le sais bien . . . » et c'était vrai que Pierre Costadot, auteur d'*Atys et Cybèle*, vivait pour lui dans une autre étoile que « le petit Costadot ». Il admirait son ami plus qu'il ne l'aimait et il ne l'aimait pas assez pour n'être pas lucide. A dix-sept ans, Denis savait que le professeur qui, ayant chipé le cahier de vers de Pierrot, en avait fait des gorges chaudes devant la classe,[1] était un aveugle imbécile.

Pierre avait enfourché sa bicyclette et demeurait immobile, un bras jeté sur les épaules de Denis.

— Avant de partir, je t'apporterai le manuscrit de *Cybèle*. Le jour où je te le remettrai, ce sera le signe que je suis décidé.

Il s'éloigna la main levée en signe d'adieu, il disparut dans le soir comme s'il eût été un enfant ordinaire, comme s'il n'avait pas porté ce poème dans son âme, dans sa chair. Le tramway électrique approchait. Denis, immobile au bord de la route, regardait grossir le phare comme l'œil unique du cyclope. Il savait que cette grosse voiture jaune rapportait dans ses flancs sa mère, Rosette et sans doute M. Landin qui venait coucher à Léognan pour la dernière fois, car les affaires étaient à peu près arrangées . . . Tout serait vendu, mais Mᵐᵉ Révolou gardait la jouissance du château et du parc.

Denis comprit qu'ils avaient dû discuter pendant le trajet. Landin, qui se savait indispensable, marchait pourtant derrière eux, humble et craintif.

— Enfin, disait Mᵐᵉ Révolou à Denis, enfin c'est fini. Nous allons être délivrés de cet homme.

— Fais attention, il peut entendre.

---

1 en avait . . . classe *had taken malicious pleasure in ridiculing it before the class.*

48

— Tant mieux s'il m'entend!

Rose, qui marchait à côté de Landin, se mit à courir pour les rattraper et dit à l'oreille de Denis:

— Devine la nouvelle? J'ai trouvé une place . . .

— Oh! pardon! protesta Mme Révolou, nous allons examiner en famille . . . 5

— Maman, c'est une telle chance . . .

— Oui, une telle déchéance! J'étais résignée à ce que tu travailles, à ce que tu donnes des leçons . . .

— Des leçons de quoi? Je ne suis pas musicienne; je 10 suis ignorante comme une carpe.

— On en sait toujours assez pour faire travailler des enfants . . . Toi, Rose Révolou, demoiselle de magasin!

— Pardon, maman, chez un libraire, c'est tout différent . . . Oui, Denis, figure-toi, j'entre chez Chardon. 15

— Chez Chardon? Chez notre libraire?

Elle débordait de vie, de joie. Denis avait le sentiment obscur qu'elle était trop heureuse. Il était scandalisé, irrité par cette explosion de bonheur. Il dit brusquement comme ils passaient le portail: 20

— J'ai reçu une visite aujourd'hui, Pierrot . . .

— Ah! fit elle.

Comme la nuit était venue, il ne put observer son visage, mais remarqua sa voix altérée.

— Il t'a parlé de Robert? 25

Denis répondit non et respira avec délices le brouillard.

Comme ils entraient dans le vestibule, Mme Révolou déclara:

— Nous ne déciderons rien sans avoir pris l'avis de mon fils aîné. 30

Rose alors céda à un mouvement de fureur juvénile:

— Je n'ai pas à le consulter sur les moyens que je dois prendre pour le nourrir . . .

Sa mère eut un haut-le-corps: « Rose! » Et d'une voix sévère:

— C'est ton frère aîné, cela devrait suffire; mais c'est aussi un malade, un grand malade.

5 — Vous avez raison, maman . . . Eh bien! montons tout de suite chez lui. Il faut que, dès demain, je rapporte la réponse à Chardon.

Le château n'était pas chauffé: « Cet escalier est une glacière », soupirait Mme Révolou. Elle montait la pre-
10 mière, tenant la lampe, suivie de Rosette; Denis était le dernier. Leurs trois ombres dansaient, coupées par les marches. Sur le palier, Mme Révolou dit: « Attendez-moi, je vais voir s'il dort . . . », et elle passa la lampe à Rosette.

15 Leur mère revint et fit signe qu'ils pouvaient entrer chez leur frère aîné.

De la porte entre-bâillée venait un nuage de fumée, une odeur de nicotine. Julien souleva un peu la tête au-dessus de l'édredon vert, gonflé de duvet — une tête décharnée
20 d'oiseau.

La maladie à laquelle il avait eu recours le possédait maintenant. Le refuge qu'il s'était créé se refermait sur lui. Son angoisse n'était plus feinte, ni son impuissance à accomplir aucun acte libre. Il avait prétendu se retirer
25 de la vie et, déjà, la vie se retirait de lui. Il suffit d'un re-gard à Rosette pour regretter la dure parole qu'elle avait prononcée tout à l'heure. Pleine de pitié, elle prit sans ré-pugnance le poignet velu qui sortait de la manche déchirée:

— Il fait beau, aujourd'hui, Julien . . . Le soleil sen-
30 tait déjà le printemps. Si tu savais! On croit qu'on a tout perdu, et puis on s'aperçoit que tout vous reste . . . Oui, tout: la lumière, les choses, les êtres . . .

Il s'était retourné du côté du mur, et bougonnait:

« Qu'on ne parle pas . . . je ne veux pas qu'on me parle . . . » Et comme sa mère insistait:

— Mon chéri, on va te laisser reposer . . . J'ai tenu seulement à avoir ton avis . . .

— Surtout pas ça! cria-t-il. Je ne veux rien savoir . . . Je n'ai plus d'avis sur rien . . .

— Il ne s'agit pas d'affaires, mais d'un conseil, simplement: tu es l'aîné. C'est à toi de voir si Rose peut accepter la place qu'on lui offre chez Chardon, le libraire . . .

— Qu'elle devienne ce qu'elle voudra, balbutia-t-il. Tout est perdu . . . du moment que tout est perdu . . .

— Écoute, Julien, dit Rose, je vais t'étonner peut-être; l'idée d'être une des jeunes filles qui remplissent les rues, à l'heure de la fermeture des magasins, ça m'enchante, figure-toi . . . Je recommence une autre vie, j'aurai eu deux vies . . . Si tu voulais, toi aussi . . .

Il ne l'écoutait pas; il suppliait, d'une voix lamentable: « Ayez pitié de moi, laissez-moi, pourquoi me torturez-vous? »

Il avait ramené le drap sur sa tête. Mme Révolou dit, à voix basse:

— Ça ne sert de rien, tu le fatigues, Rose, tais-toi. Tu vois bien qu'il se bouche les oreilles. Allez dîner sans moi, ajouta-t-elle, je reste avec lui, je n'ai pas faim.

Elle s'installait. Son instinct l'avertissait que cette chambre, désormais, serait mieux pour elle qu'un refuge: une raison de vivre. Elle s'occuperait de Julien; inutile d'attendre d'elle autre chose. Ce serait sa fonction, sa raison d'être, son devoir d'état. Son univers tiendrait dans ces murs dont son fils aîné s'était fait une prison. On dirait d'elle: « Elle est admirable . . . jamais elle ne se plaint. »

6

Landin attendait devant sa chaise et s'assit lorsque
les deux enfants Révolou eurent pris place. Il voyait
Rose de profil. Elle avait jeté sur ses épaules un châle.
Parfois, elle se levait pour chercher du pain. La fuite des
5 regards gênait Landin, comme d'autres souffrent de se
sentir dévisagés. Parfois Denis détournait brusquement
la tête.

Landin leur faisait horreur: pourtant, ils étaient là.
Un soupir gonflait la poitrine de Rose. Il se leva.

10 — Vous ne prenez pas de fromage, monsieur Landin?

— Non, Mademoiselle, c'est le dernier soir. J'ai quelques liasses à inventorier. Certaines pièces manquent
encore que je ne désespère pas de trouver dans le cabinet
de M. Oscar . . .

15 — On a dû préparer le feu . . . Je ne vous ai pas demandé des nouvelles de Mlle Landin . . .

— Vous êtes trop bonne . . . Ma sœur a beaucoup
souffert d'un zona, vous savez? Mais c'est fini, elle a re-
pris ses petites habitudes . . .

20 La réplique tomba dans le vide: Rose « avait eu un mot
aimable » et se sentait quitte.

Landin referma avec soin la porte du cabinet où il allait
travailler pour la dernière fois. Il s'assit dans le fauteuil,
devant le bureau, comme il avait fait chaque soir depuis

trois semaines, et, la tête dans les mains, savoura une paix profonde.

D'un mort on n'a rien à redouter, ni rebuffades ni mépris. Il ne peut plus rien contre un cœur fidèle; il ne se défend plus, il ne dresse plus contre le sentiment qu'il 5 inspire l'obstacle de sa personne vivante. On n'a plus à le ménager ni à lui donner le change; et même quand on s'appelle Landin et que le mort dont il s'agit fut une créature aussi brillante qu'Oscar Révolou, on est libre de s'abandonner à ce sentiment si étrange et si nouveau: 10 la pitié. Landin s'étonnait d'éprouver de la pitié pour l'être qu'il avait le plus admiré en ce monde.

Tel était le silence qu'on eût dit un élément, une masse liquide et dormante sur le château submergé. M. Landin, à l'abri des hommes hostiles, d'un monde ennemi, veil- 15 lait pour la dernière fois avec l'ombre de son maître adoré. Les sentiments des héritiers Révolou à son égard, il les connaissait: il savait que ce seuil une fois franchi, il ne le repasserait sans doute plus. Ah! si jamais une pauvre âme eût dû revenir des sombres bords,[1] c'était 20 bien cette nuit, songeait Landin. Si la porte de ce cabinet s'ouvrait tout à coup, si Oscar Révolou entrait de cet air pressé, qu'il avait toujours eu, et sans même le regarder lui jetait un ordre; si, après être allé un instant coller son front à la vitre, il s'asseyait à cette table, le 25 buste renversé, remuant des clefs au fond de sa poche; puis, ayant ouvert un tiroir et cherché en vain un papier, s'il repoussait les paperasses avec lassitude, tirait d'un étui un de ces cigares énormes qui coûtent si cher et qui donnaient la migraine à Landin, le premier clerc ne res- 30 sentirait aucune surprise, ne poserait aucune question. Il attendrait, ses yeux mouillés de chien fixés non sur

[1] revenir des sombres bords *to return from the great beyond.*

ceux de son maître, mais sur les mains qui ne se sentent pas observées, qui ne se dérobent ni ne fuient sous un regard fidèle.

*
*   *

Rosette s'éveilla en sursaut. Elle avait cru entendre
5 une porte s'ouvrir, un bruit de pas sur les dalles du vestibule. Ce château mal fermé, sur les confins de la banlieue et de la campagne, et qui n'avait jamais été habité l'hiver, était, selon Mᵐᵉ Révolou, une maison à crime. Rose, assise sur son lit, n'entendait plus que le vent dans
10 les sapinettes: « J'ai dû rêver », pensa-t-elle. Il était quatre heures. Deux heures encore à dormir jusqu'à ce que sonnât le réveil. Elle se lèverait en hâte pour attraper le premier tram. Et alors commencerait sa vie nouvelle, sa vie de fille qui travaille pour soutenir les siens. Elle
15 regarderait les gens en face, elle attendrait qu'on lui tendît la main. Elle était sûre qu'un jour Robert pousserait la porte du magasin; ou plutôt, non: il rôderait aux alentours, attendrait sa sortie . . . un flot de joie l'envahit . . . Non, la vie n'avait pas commencé encore. En
20 dehors de son pauvre papa, ce malheur n'avait tué que ceux qui, comme Julien, étaient déjà morts, n'avaient jamais vécu. Elle irait de l'avant, sans tourner la tête, entraînant avec elle Denis, son petit frère. Aux autres, elle abandonnerait ses gains, il n'y aurait rien à faire
25 pour eux que de leur assurer leur subsistance . . . Mais Denis, il faudrait lui garder sa place à côté de Robert . . . Elle était possédée par ce bonheur futur, le bonheur la tenait éveillée et elle ne se rendormit que quelques minutes avant que le réveil sonnât tout à coup comme
30 pour le jugement dernier.

Alors, elle s'habilla, en hâte dans le froid, éclairée

54

par une bougie. A la cuisine, la cafetière était restée au chaud dans les cendres. En remontant, elle aperçut de la lumière sous la porte du cabinet de son père. Était-il possible que M. Landin eût passé la nuit sur ses dossiers? Elle frappa, ouvrit, et demeura hésitante; la pièce était 5 vide, mais cette chaise renversée, ces coussins jetés sur le tapis, ces papiers brûlés, tout portait la trace d'un événement indiscernable. Alors, elle se souvint d'avoir été éveillée en sursaut, cette nuit . . . Landin assassiné peut-être? Elle n'osait bouger, ni même sonder les coins 10 d'ombre . . . Il aurait fallu regarder sous le canapé, derrière les rideaux, peut-être un corps était-il dissimulé . . . A moins que Landin fût allé se coucher en oubliant d'éteindre . . .

Elle laissa la lampe allumée, traversa la cour d'honneur 15 et, voyant de la lumière dans la cuisine des Cavailhès, frappa à la vitre. Mme Cavailhès l'entre-bâilla, et, tout de suite, rassura Rose: M. Landin lui avait demandé d'ouvrir le portail, en pleine nuit, il s'était mis dans la tête de rentrer à Bordeaux, à pied; « pour ne pas perdre 20 de temps . . . on aurait dit qu'il avait le feu quelque part. » [1]

Devant quoi, devant qui avait-il fui? se demandait Rosette, grelottante au coin de la grand'route et du petit chemin des communs. Contre qui s'était-il battu? 25 Pauvre Landin! Quelle horreur d'être Landin! Et elle regardait grossir, dans le brouillard, le phare du premier tramway.

Elle s'assit parmi les hommes, déjà lasse, rêvant de cette époque fabuleuse, lorsque le soleil la réveillait dans 30 son lit et que la femme de chambre apportait un plateau fumant. L'odeur du pain grillé se mêlait au parfum

[1] qu'il . . . part *that he was going to a fire.*

résineux des copeaux qui crépitaient dans l'âtre. Maintenant, son sort était celui de la plus grande part du troupeau humain. Les sirènes d'usines qu'elle entendrait dans les aubes sombres ne l'inciteraient plus à se renfoncer sous
5 ses draps en pensant aux « pauvres ouvriers », cet appel la concernait maintenant. Non, elle n'était plus à part des autres, et cette pensée, bien loin de l'accabler, la tirait de sa torpeur, la poussait en avant.

7

L'EXISTENCE des Révolou s'organisait, trouvait son rythme. Dès l'aube, Rose, que Denis maintenant accompagnait, attendait le premier tram. C'était un hiver sec. Presque toujours, l'œil de cyclope du tramway émergeait d'un brouillard épais. Denis continuait son [5] sommeil appuyé contre Rose, et elle aussi somnolait jusqu'aux boulevards. Le garçon prenait alors la route du lycée et elle gagnait la librairie, située dans un passage de la rue Sainte-Catherine, boutique familière au frère et à la sœur du temps que l'argent de poche ne leur man- [10] quait pas et qu'ils y passaient des heures, le jeudi,[1] à fureter de rayon en rayon.

C'était un grand réconfort pour Denis, durant ces longues et sombres journées, de pouvoir suivre sa sœur par la pensée derrière les comptoirs, sur les échelles. [15] Ils se retrouvaient au tram de six heures et demie. Denis commençait toujours par poser la même question: « Un client t'a demandé conseil? » C'était devenu rituel, depuis que dans l'enthousiasme du début Rose avait prétendu diriger les lectures de ses concitoyens et les orienter vers [20] les grandes œuvres.

[1] jeudi *a school holiday in France instead of Saturday.*

Dans la journée, le château délivré de leur présence appartenait à Julien, qui daignait sortir de la chambre, maintenant, pendant que sa mère l'aérait et refaisait le lit. S'il ne pleuvait pas, il risquait un tour de jardin après s'être assuré qu'aucun membre de la famille Cavailhès n'était en vue. Il ne voulait affronter aucune face humaine. Dès cinq heures, il se recouchait. Sa mère lui apportait une collation et il avait toujours en train quelque roman policier.

Mme Révolou ne prenait contact avec ses deux derniers enfants que durant le repas du soir. Elle descendait vers eux d'un astre inaccessible, et leur apportait des nouvelles de ce qui se passait dans cette chambre comme si les incidents dont elle était le théâtre pouvaient entrer en balance avec les événements de la vie et du monde. Le jour où Julien avait consenti à desserrer les dents, elle rapportait et commentait ses propos, donnait des nouvelles de son appétit, aussi des caprices de sa digestion.

Un jour, grand émoi: Julien avait demandé à lire un journal. Malheureusement il était tombé sur le compte rendu d'un mariage où tous les noms cités lui étaient connus, ce qui avait aggravé son état. Mme Révolou se reprochait beaucoup sa négligence: elle aurait dû passer la feuille en revue, avant de la lui donner; maintenant il fallait remonter la pente.

*
* *

Il arriva un jeudi, le petit Costadot, à bicyclette, malgré une pluie glacée, et lorsque Denis commençait à espérer qu'il ne viendrait pas. Il l'introduisit dans le petit salon et tout de suite mit l'entretien sur *Cybèle* tandis qu'autour d'eux la neige fondue noyait la campagne. Il sentait bien que Pierrot avait quelque chose à lui dire, qu'il retenait avec peine une nouvelle importante dont il était tout agité.

Denis avait relevé la tête et le dévisageait. Il détestait cette figure congestionnée par la course à bicyclette et par le feu, ces poils follets sur les joues brûlantes.

— Ce qui est arrivé est tellement inattendu ! Nous avions mal jugé notre pauvre mère, Robert et moi. Au fond elle a été bouleversée par votre malheur . . . Enfin elle a pris la dernière décision que nous aurions attendue d'elle ; longtemps je n'y ai pas cru et puis il a bien fallu me rendre à l'évidence : on m'a émancipé, mon vieux, on va faire les partages, non seulement de la fortune de notre père, mais de tout ce que possède ma mère . . .

Denis l'interrompit avec impatience :

— Que veux-tu que ça me fasse, à moi ? [1]

— Mais mon petit Denis, tu ne comprends donc pas ? Robert va devenir indépendant. Il pourra tenir le coup, même marié, jusqu'à la fin de ses études médicales . . . Hein ! qu'est-ce que tu en dis ?

Denis s'était levé. Il se tenait debout face à la cheminée, tournant le dos à Pierre. Il répondit avec calme :

— Tu oublies que Rosette a d'autres soucis, maintenant. Elle a tourné la page, ça ne l'intéresse plus . . . Pourquoi ris-tu comme un idiot ?

— Mais non, elle n'a pas tourné la page . . . Si elle ne t'a parlé de rien, c'est qu'elle doutait, comme nous d'ailleurs, que ma mère achevât ce qu'elle avait décidé . . . Ce n'était pas la peine de te donner un faux espoir !

Denis demanda d'une voix indifférente :

— Ah ! je comprends ! ils se voyaient quelquefois ?

1 Que . . . moi *What do you think I care about that?*

— Mon vieux, voilà trois semaines qu'ils déjeunent ensemble, tous les matins, dans une crémerie près de la Faculté de Médecine ... Moi, j'y vais aussi, le jeudi. Je brûlais de te le dire, tu penses ... C'est Rosette qui ne voulait pas. Eh bien! mon vieux, qu'en dis-tu?

Il posa les deux mains sur les épaules de Denis:

— Avoue tout de même que j'ai commencé un peu à réparer ...

Denis secoua la tête: il ne voyait pas bien quelle était la part de Pierrot dans cette histoire ...

— Mais, mon vieux, considérable, énorme! Entre nous, maman a tenu bon pour les partages, mais elle passe son temps à répéter que les immeubles rapportent de moins en moins, que les réparations sont hors de prix, que les impôts augmentent, que les revenus diminuent et que Robert n'a pas de quoi entretenir toute une famille ... Enfin, tu la connais!

— Tu peux la rassurer; nous ne demanderons pas un sou à son fils.

Il s'était retourné enfin et opposait à Pierrot une petite figure blême. L'autre était consterné:

— Je suis une brute, Denis, pardonne-moi. Voilà que nous pataugeons de nouveau dans des questions ignobles. Tout ça n'a pas d'importance: ce n'est que quelques années à passer jusqu'à ce que Robert gagne sa vie ... D'ailleurs, tout mon argent sera à Robert ... Il n'y a qu'une chose qui compte: le bonheur de Rose n'aura pas été compromis ... Pour le reste ...

— C'est toi qui décides que ton frère fera le bonheur de Rose. En es-tu sûr?

Le petit Costadot, blessé, se rebiffa:

— Ce n'est pas plus à moi qu'à toi d'en décider. Eux seuls sont juges. Il me semble ... Écoute Denis, je déjeune avec eux tous les jeudis, je les observe. Robert sort de l'hôpital assez tard, il arrive toujours le dernier. Si tu voyais le visage de Rosette quand il entre !

Denis demanda :

— Ils s'embrassent ?

Pierrot rit un peu trop fort :

— Ça, mon vieux . . . tu m'en demandes trop !

— Il faut que tu rentres, Pierrot, dit Denis qui était allé vers la fenêtre, c'est de la vraie neige qui tombe maintenant . . . La nuit va arriver tout d'un coup. La route sera impraticable . . . et tu n'as plus besoin de t'habituer à faire le clochard . . . Il n'est plus question pour toi de prendre la route, hein ? Tu vas te payer une auto . . .

— Ne me parle pas de ça, Denis, tu me désobliges, tu me blesses.

Ils étaient dans une « souillarde » faiblement éclairée qui séparait l'escalier de la cuisine. Denis ne pouvait voir sur le visage de Pierrot l'effet de sa moquerie ; mais lorsque le petit Costadot parla, il reconnut à peine sa voix altérée.

— Denis, que t'ai-je fait ?

Aucune réponse. Il entendait Denis respirer fort. Au-dessus de leurs têtes, des chaudrons luisaient, des pots de confit étaient alignés. Il régnait là une odeur de lessive et d'épices. Denis se mit à respirer vite, comme s'il avait couru, et tout à coup il pleura, contre le mur, la tête dans ses deux bras repliés.

— Denis, reprit le petit Costadot, que t'ai-je fait ?

Il lui avait pris les épaules, mais Denis se dégagea. Pierre insistait :

— Pourquoi ne pas m'expliquer ce que je t'ai fait ?

— Je ne le sais pas moi-même. Je te le dirais si je le savais . . . Je ne sais pas pourquoi je souffre.

8

Robert Costadot arrivait toujours le premier, à six heures, sur la terrasse du jardin public, devant la statue qui représente l'*Adolescent et la Chimère*. Il savait que Rose quittait au même moment la librairie Chardon et que dans dix minutes il la verrait paraître au-dessus des jets ensoleillés des lances d'arrosage, dans l'odeur de poussière, de gazon mouillé, de chaises peintes. Il l'attendait, pressé de vérifier qu'elle était pareille à l'image qu'il portait dans son cœur, pareille à cette Rose Révolou dont il avait été le danseur durant toute la saison dernière, et cette année encore . . . avec ce visage absent et radieux, ses toilettes toujours accordées à sa grâce . . . Il était rare en ce temps-là qu'un léger détail ne marquât son indifférence angélique aux petites choses: l'épaulette de la chemise sortait un peu, une agrafe était détachée, une mèche folle avait échappé à l'ordonnance sévère de M. Tardy . . . « Elle est désordre », disait d'elle la mère Costadot. Mais alors Robert s'attendrissait de cette négligence qui, chez la petite fille comblée de tous les luxes, n'allait jamais jusqu'à déplaire.

Cependant, Rose se lavait les mains en hâte dans l'arrière-boutique, prenait congé de Chardon et, sur le trottoir du cours de l'Intendance,[1] respirait avec délices. Le soleil couchant enveloppait cette fille poussiéreuse, au teint plombé, aux cheveux ternes, celle que Robert allait voir surgir avec la même déception, la même irritation que chaque soir, si différente de l'image adorée. 5 Seuls, les yeux étaient plus beaux qu'ils n'avaient jamais été, plus absents que jamais de ce monde où tout, hors l'amour, n'est que souffrance.

Rose ne s'apercevait pas que sa misérable robe de deuil n'avait pas été brossée, que ses talons étaient tordus. Elle 10 allait, elle volait, traversait les Quinconces [1] sans reconnaître personne et les grandes grilles noires et dorées du jardin apparaissaient au bout du cours de Gourgue.[1]

Alors, Robert voyait s'avancer celle dont il avait eu le temps, durant ces vingt-quatre heures, d'oublier le 15 vrai visage. Il lui prenait les mains, se penchait vers elle, respirait une odeur un peu sure; puis elle se détachait de lui et le buvait des yeux. Oui, elle le buvait, elle se désaltérait à longs traits après la journée exténuante. Et pourtant ce regard avide était aveugle: elle ne percevait 20 rien de cette déconvenue, chez Robert, elle ne voyait pas tout son amour changé d'un seul coup en pitié: pitié pour elle qu'une pauvre besogne avait ainsi abîmée, pitié pour lui dont la vie désormais s'écoulerait étroitement sous le signe de cette misère. Et en même temps la honte 25 de ce qu'il éprouvait l'étouffait et il y trouvait la force de faire les gestes, de dire les mots qui eussent suffi à rassurer la jeune fille si la moindre inquiétude l'avait effleurée; mais elle jugeait de la tendresse de Robert d'après la sienne. Elle lui disait parfois: 30

— Tu as l'air fatigué et triste, tu travailles trop . . .

1 cours de l'Intendance, Quinconces, cours de Gourgue *streets in Bordeaux*.

Elle n'aurait pas imaginé qu'il pût être déçu. Il avait demandé sa main, malgré la catastrophe qui avait ruiné et presque déshonoré les Révolou; il avait tenu tête à sa terrible mère . . . Pourquoi eût-elle douté de lui?

*
* *

5 Ils entraient dans une crémerie où on leur servait deux œufs, une tasse de chocolat. Rose ne faisait pas attention à ce qu'elle mangeait. Rien ne la choquait de ce qui faisait horreur à Robert: une tasse mal lavée, ces essuyures, ces ronds laissés par les verres. Elle supprimait autour de
10 son amour le monde sordide où vivent ceux qui n'ont pas d'argent. Il lui dit, ce soir-là:

— On ne croirait pas que tu as vécu dans un des plus beaux hôtels de la ville. Il ne t'a pas fallu deux mois pour te déshabituer du luxe . . .
15 — Le luxe?

Elle leva vers lui sa figure fatiguée. Il remarqua des points noirs sur les ailes du nez et ce cou maigre.

— Il n'y a qu'un luxe . . .

Il comprit qu'elle voulait dire « notre amour » . . .
20 Il referma sa grande main sur cette petite main aux ongles usés. Qu'elle ne sache pas . . . qu'elle ne devine jamais! Toute la vie il lui donnerait le change: [1] elle ne serait pas difficile à tromper, cette petite aveugle.

Il l'accompagna à pied jusqu'au boulevard où atten-
25 dait le tram de Léognan.

— Après-demain, lui dit-elle, samedi: tu viendras coucher à Léognan. Nous aurons toute la soirée. On peut rester tard dehors: il n'y a pas un souffle.

Il songea qu'il allait ajouter un anneau à sa chaîne.

1 Toute . . . change *He would deceive her all his life.*

64

Samedi, il serait introduit dans la maison comme fiancé, aux yeux de tous. Elle était déjà sur la plate-forme. Un réverbère éclairait les affiches de l'octroi. Robert agita la main, et Rose, jusqu'au premier tournant, regarda son fiancé. Alors elle s'assit à l'intérieur, s'abîma dans sa 5 joie.

Elle n'avait pas besoin d'ouvrir les yeux pour sentir l'approche de la campagne. Les relents de la ville se confondaient avec une odeur de figuiers et d'étables. A mesure que Rose s'enfonçait dans cette paix, Robert sui- 10 vait une route inverse, pénétrait au cœur de la cité étouffante, longeait les murs brûlants de son pas mou. Parfois des jardins déversaient sur la chaussée l'odeur violente d'un tilleul. Les fenêtres étaient ouvertes sur des pièces obscures mais où se devinaient des faces 15 blêmes.

Impossible d'atteindre sa chambre sans voir sa mère : il était établi qu'elle ne s'endormait pas avant que ses fils ne fussent rentrés et qu'elle ne les eût embrassés. D'ailleurs, ce soir-là, il n'était que neuf heures, il savait 20 que sa mère serait assise devant la fenêtre ouverte, sans lumière. Il redoutait cette entrevue et la désirait, comme s'il eût attendu de ce côté-là il ne savait quel secours. Ce qui lui paraissait inimaginable, devenait possible tout à coup. Que de fois avait-il entendu sa mère déclarer 25 calmement, dans les plus grandes difficultés : « Nous trouverons le joint ».

Elle trouvait toujours le joint. Robert n'avait jamais cessé de considérer sa mère avec ses yeux d'enfant : rien d'irréparable ne pouvait lui advenir tant que sa mère 30 serait là.

Pourtant elle paraissait résignée au mariage et n'y faisait plus d'objection. Robert avait seulement noté qu'elle en éludait la date. Et comme Rose, à cause du concours d'internat qu'il devait passer, ne le pressait pas non plus . . . En montant l'escalier, il chassait avec dégoût ces larves d'idées . . . Rose serait sa femme. Déjà

5 l'ancienne image reparaissait, la jeune fille des bals du dernier hiver rendait aux ténèbres la petite commise exténuée et mal tenue qu'une mère ne surveillait plus.

9

Lᴇ samedi, Rose, Robert et Denis prirent le tramway de six heures. Denis demeura debout sur la plate-forme avant. Comme Rose était fatiguée, les fiancés s'assirent à l'intérieur.

« C'est le dernier pas, songeait Robert. Vis-à-vis du public, des domestiques, je fais acte de fiancé . . . c'est mieux ainsi. Il n'y a plus à revenir sur ce qui est décidé. » Il était calme et sensible à la joie dont il se savait le principe.

Quand le tramway s'arrêta devant la petite route des communs, ils entendirent tout à coup les grillons et un immense bourdonnement d'abeilles autour d'un tilleul. Tandis que Rose allait changer de robe, Denis introduisit Robert dans la chambre d'oncle Devize.

— Elle donne au nord, tu ne souffriras pas de la chaleur. Mais, ce soir, déshabille-toi sans lumière, à cause des moustiques.

Il rouvrit la porte pour dire:

— Méfie-toi de l'appui de la fenêtre, il est descellé . . . Oh ! c'est une vieille baraque . . .

— Je croyais que ton père avait fait beaucoup de réparations . . .

— Oui, les plus inutiles . . . mais non les plus coûteuses . . .

Denis avait fait cette réponse sans intention, mais il épiait Robert qui demanda :

— Qu'appelles-tu les plus coûteuses?

— D'abord, la toiture. Si on t'a mis dans cette chambre du nord, c'est qu'il pleut dans celle qu'on t'avait destinée. Lorsqu'un orage crève, il faut mettre des baquets, des cuvettes partout, au grenier. Tous les plafonds sont à demi détruits. Tu imagines ce que ça représente de recouvrir cette baraque . . . Mon père lui-même, au temps de sa splendeur, reculait chaque année devant la dépense . . . Et maintenant ça ne peut plus attendre.

— Alors, comment allez-vous faire?

Denis hésita et dit enfin :

— Je crois que maman a l'intention de te demander conseil . . .

— Je n'ai pas de conseil à donner. (Robert parlait tout à coup d'un ton ferme.) Cela ne me regarde pas. Nous sommes nous-mêmes surchargés d'immeubles . . .

— Alors, soupira Denis, il faudra vendre . . . à vil prix . . . N'en parle pas à maman ni à Rose. Ce serait un tel coup pour elles . . . Tu comprends, elles se font des illusions, elles s'imaginent que tu vas tout prendre en mains . . .

— Si ! je leur parlerai, coupa Robert, sèchement. Je suis résolu à être très catégorique (il avait pris la voix de sa mère, imitait ses intonations). Je ne veux pas qu'il subsiste de malentendu.

*
* *

— Eh bien ! la voilà, ma surprise !

A côté de Mme Révolou, Julien en smoking se tenait, gras et blême, presque majestueux, conscient de la solen-

68

nité que sa présence conférait à cette soirée. Un sourire complaisant régnait sur cette face sans regard.

— Vous avez fait un miracle, Robert, un véritable miracle, insistait Mme Révolou, du ton un peu précieux qu'elle prenait dans le monde.

— Je n'oublie pas que je suis le chef de la famille Révolou, dit Julien. C'était mon devoir de t'accueillir à Léognan. J'ai pris sur moi . . .[1] Je paierai cher cette imprudence . . . mais tant pis.

Sa mère rayonnait, elle l'écoutait avec émerveillement poser des questions à Robert Costadot.

— Le concours hippique a-t-il été brillant cette année? Qui a gagné la coupe? Castelbajac, naturellement! Avec *Favori II*? Ah! ça, c'est amusant! Tu sais que j'avais failli l'acheter l'année dernière! Comment, tu ne le savais pas? J'avais tout de suite vu ce qu'il valait . . . C'est un fils de *Stella* . . . Tu te rappelles bien, *Stella*?

Robert observait Rose. Oui, elle ressemblait toujours à la jeune fille du bal. Depuis qu'elle avait bu un verre de champagne, ses joues s'étaient avivées. Robert pensa que c'était lui qui allumait dans ses yeux cette flamme de bonheur Il entendit la voix de Denis:

— Maman, tu sais ce qui est arrivé dans la chambre de l'oncle Devize? L'appui de la fenêtre . . .

Mme Révolou soupira:

— Cette maison s'en va de partout . . . C'est un gros souci pour nous, ajouta t-elle en regardant Robert.

Et comme il se penchait vers son assiette sans répondre, elle insista:

— Vendre? . . . mais à quel prix? et puis nous sommes logés, nous avons la basse-cour, le potager, le lait, le bois . . . Que deviendrions-nous? je me le demande . . .

1 J'ai pris sur moi *I have taken it upon myself.*

C'était à Robert qu'elle le demandait, mais il épaississait autour de lui un nuage d'indifférence. Il entendit
distinctement vibrer comme la sonnerie d'un réveil l'avis
de sa mère: « Fais le sourd, fais celui qui ne comprend
5 pas . . . »
Cette gêne pesa sur le dîner finissant. Il s'acheva sans
lumière. Dans cette ombre où la nappe, le plastron de
Julien retenaient seuls un reste de jour, Rose sentait
une vague menace. Elle entraîna Robert dans le vesti-
10 bule, jeta une vieille pèlerine sur sa robe blanche:
— Sortons pendant qu'ils prennent le café, sortons vite . . . Tout est calme, c'est le soir que j'avais
imaginé . . .
Dans le billard, ouvert sur le perron, Mme Révolou
15 disait à Julien:
— Ils ne reviennent pas. N'attends pas leur retour.
C'est assez veiller pour une première soirée. Il faut tout
pardonner à des fiancés, mais j'avoue qu'ils te récom-
pensent bien mal de l'effort que tu as fait . . . Ce départ
20 sans un mot d'excuses !
— Je ne mérite aucune gratitude, ma place était ici
ce soir et j'étais décidé d'aller à la limite de mes forces
pour accueillir le fiancé de ma sœur. Ce sont des circonstances où il faut savoir oublier sa guenille. Je le paierai
25 cher, bien sûr . . . Je sais d'avance que je ne dormirai
pas . . .
— Tu pourrais prendre de l'allonal?
— C'est tout de même inouï que tu ne saches pas
encore que mon foie ne le supporte pas. Mon foie ne
30 supporte aucun narcotique . . . Je t'en prie, Denis, va
fumer dehors.
Denis se leva, fit quelques pas sur le perron, s'assit dans
un fauteuil d'osier. Tout près de lui, un crapaud à inter-

valles réguliers lançait sa note plus pure que celle du rossignol.

Sa mère éleva la voix:

— Tout de même, ça m'inquiète. Il aurait pu dire un mot qui nous aurait rassurés. Il a bien voulu nous montrer que ce qui touche Léognan ne le concerne pas . . . A moins que ce ne soit par discrétion ou par indifférence . . .

— Il faudra pourtant aborder la question, dit Julien. Le plafond de ma chambre est dans un état . . . un jour il me tombera sur le nez.

— Je crois qu'il conviendrait de revenir à notre projet . . .

Julien demanda dans un bâillement:

— Quel projet?

— Je donnerai Léognan en dot à Rose, avec l'obligation de nous loger jusqu'à notre mort. L'entretien de l'immeuble serait à sa charge, mais nous verserions une pension. Et naturellement, il s'engagerait à ne pas vendre . . . ou alors nous reprendrions nos droits . . . Oui, ajouta-t-elle après un silence, mais jamais Léonie ne lui laissera accepter ça . . .

Denis cria depuis le perron:

— Il a plus de volonté que vous ne croyez: il a tout de même eu le courage de demander la main de Rose . . .

— Éteins ta cigarette et viens.

Il alla s'asseoir auprès de sa mère. Il entendit la gifle que Julien se donnait en ronchonnant:

— Ah! ces moustiques!

Sa mère lui demanda:

— Qu'est-ce que tu crois, Denis?

— Je crois qu'il faudrait faire tâter le terrain par Rose . . .

— Elle ne voudra jamais . . . Et puis ne serait-ce pas dangereux . . .

— Oh ! il est bien accroché . . . D'ailleurs, il y a façon de présenter les choses . . .

5 — Oui, elle pourrait lui dire: mes parents veulent vendre Léognan, ça me fend le cœur, c'est là que j'imaginais notre chez nous . . .

— Et puis, dit Julien, il faut lui faire remarquer que ça pourrait rapporter, en engageant des capitaux . . . 10 De l'élevage, par exemple . . .

— On ne risque rien de lui dire ça, mais après le mariage nous l'empêcherons de se lancer là-dedans . . . Toute sa fortune y passerait . . . Ceci dit, je crois que ce ne serait pas bête de montrer la chose comme un 15 placement possible: ça désarmerait peut-être Léonie.

Denis demanda:

— Alors vous êtes d'accord pour que je parle à Rose?

C'était l'instant où, dans le rond de tilleuls la jeune 20 fille disait à voix basse:

— Laisse-moi, éloigne-toi.

Il respirait vite, elle dit:

— On marche dans l'allée.

Elle reconnut Denis et cria:

25 — Nous sommes là, dans le rond de tilleuls.

Denis fit quelques pas vers eux:

— Il faut rentrer, dit-il, Julien exige qu'on ferme, qu'on mette la barre à la porte.

Denis regarda le couple surgir de cette nuit que fai-30 saient les tilleuls. L'allée, au sortir de cette ténèbre, leur paraissait claire. Ils marchèrent tous les trois sans parler, et entrèrent dans le billard en clignant des yeux. Denis dit:

— Les bougeoirs sont là. Toi, tu as droit à une
lampe . . .

*

* *

Le matin, lorsque Robert retrouva Rose à la salle à
manger, elle était habillée pour la messe. Sa robe de
mousseline datait de l'époque où « les toilettes de ces   5
dames venaient toujours de chez Habrias ». Dans l'omnibus, auquel on avait attelé un cheval de labour et que
conduisait Cavailhès, il se sentit de la famille. Il rit avec
Rose et Denis de la tenue du régisseur qui, s'il daignait
remplir les fonctions de cocher, affectait de n'en point   10
porter la livrée et, coiffé d'un melon verdâtre, le penchait
un peu sur l'oreille.

Mais à l'église, l'attention de l'assistance fixée sur
lui, les chuchotements, l'expression fière et émue de
Rose, réveillèrent son irritation. Tout ce qui consacrait   15
aux yeux du monde sa qualité de fiancé lui était insupportable. N'avait-il donc pas pris son parti? Gardait-il
une arrière-pensée? Il ne voulait pas qu'on verrouillât
derrière lui la porte. Pourtant, il ne reste, songeait-il,
aucune chance d'évasion.   20

Au moment du prône, les fidèles profitèrent de ce qu'ils
s'asseyaient dans un grand bruit de chaises pour se retourner et le dévorer des yeux. Il avait honte, il aurait
voulu rassurer Rose: « Ce que je ressens ne prouve
rien . . . » et, en même temps, il était irrité contre elle   25
et lui prêtait des pensées de triomphe: « J'ai tout de
même décroché un mari malgré nos malheurs . . . » Lui,
il était le maladroit tombé dans le panneau, pris au trébuchet. Il aurait pu épouser qui il aurait voulu. Les gens
devaient penser: « Dire qu'il y a tant de jeunes filles jolies   30
et qui ont de la fortune . . . »

73

La place était dévorée de soleil. Des vieilles s'approchaient de Robert, l'examinaient. Il se réfugia dans l'omnibus, pour attendre que Mme Révolou et Rose aient achevé la tournée des fournisseurs.[1] Il bougonna:

5 — Qu'est-ce qu'ils ont à me regarder comme ça, ces idiots?

— Ils admirent le promis de Mlle Rose, répliqua Denis d'un air fin.

— Je croyais que nos fiançailles devaient être tenues 10 secrètes . . .

— Oh! c'était impossible: les Cavailhès parlent, tu penses bien!

— Alors, puisque c'était impossible pourquoi m'avoir juré qu'on n'annoncerait rien pendant un an?

15 Denis demanda sur le ton de l'innocence:

— Vraiment, tu es contrarié?

— Rien ne m'agace, je l'avoue, comme cette manie de promettre des choses qu'on sait très bien ne pouvoir tenir . . . Du moment que nous ne saurions nous marier 20 de longtemps, il aurait mieux valu . . .

— Moi, interrompit Denis, je suis bien sûr que tu n'attendras pas d'être interne . . . Nous en sommes tous persuadés à la maison.

Robert rougit de colère:

25 — Vraiment? Eh bien! c'est ce que nous verrons. D'abord, mon internat.

Denis cligna de l'œil, protesta d'un air complice qu'on connaissait les amoureux . . . Le retour de Rose et de sa mère arrêta la réponse de Robert.

30 — Attention à la tarte, dit Mme Révolou. Il y a des choux à la crème pour Julien.

1 pour . . . fournisseurs *to wait until* Mme *Révolou and Rose had finished their marketing.*

74

L'omnibus roulait dans une chaleur atroce. Robert, écarlate, la tête tournée vers la portière, faisait semblant de ne pas voir que Rose cherchait son regard.

Il partit vers cinq heures, comme d'ailleurs c'était convenu à cause d'une colle [1] d'internat qu'il avait dans la soirée. La chaleur l'avait dispensé d'entraîner Rose dehors. Ils étaient restés dans le billard à feuilleter de vieux recueils du *Monde illustré*. Rose l'accompagna jusqu'au tramway et prit rendez-vous pour le lendemain au jardin public.

Pour éviter la maison, elle s'enfonça sous les arbres. Il faisait chaud encore. On ne trouvait personne pour faire les foins. Les herbes hautes rétrécissaient l'allée. Elle en vit surgir Denis. Il vint vers elle qui aurait mieux aimé rester seule et marcha à ses côtés sans rien dire. L'herbe avait taché sa veste de toile, ses espadrilles. Il dit tout à coup:

— Tu préférerais que ce fût un autre que moi.

Elle lui enveloppa les épaules de son bras en disant: « Que tu es bête ! »

— Personne ne prendra dans mon cœur la place du petit frère.

Il marchait la tête basse, arrachant des herbes qu'il mordillait. Elle ajouta:

— Il y a des choses qui ne sont qu'à nous deux; [2] qui ne seront jamais qu'à nous deux.

Il releva la tête:

— Tu le crois, vraiment? Dis Rose, tu ne blagues pas?

— Non, dit-elle. Le fiancé le plus aimé . . . et Dieu sait . . . (d'instinct elle s'interrompit). Autant que nous

---

1 colle *a study session where students prepare for an examination.*
2 Il y a . . . deux *There are things that only you and I can share.*

l'aimions, reprit-elle après un silence, il y a des régions de nous où il ne pénétrera qu'à la longue et peut-être jamais . . .

— Tandis que moi?

5 — Je sens certaines choses en même temps que toi . . . Nous n'avons pas besoin de paroles.

— Notre vie ici, toute notre enfance . . . Quand je pense que Léognan, pour Robert, c'est un immeuble dont il faut se débarrasser . . .

10 Il se tut; il attendit. Mais déjà Rose s'irritait:

— Surtout, laisse-le tranquille avec Léognan !

— C'est important pour nous tous, Rose, mais pour toi surtout. Tu ne te rends pas compte . . . Bien sûr, il faut laisser Robert tranquille, mais j'ai une idée que 15 maman approuve, tu me diras ce que tu en penses.

Il s'écoutait, débitant l'exposé qu'il avait préparé avec soin. Une Révolou ne devait pas se marier sans dot. Elle apportait en dot Léognan qui, aux portes de la ville et entre quatre routes, valait au bas mot un million. Sans 20 doute Robert s'engagerait-il à ne pas vendre et aurait les charges, mais la contre-partie serait la vie de tous les jours assurée. Les Cavailhès mis à la porte, on trouverait sur place non seulement le logement, mais la nourriture et le chauffage. Rose régnerait sur la basse-cour, sur le 25 clapier, sur le potager, sur l'étable. La proximité de Bordeaux assurerait l'écoulement du lait, des œufs, des légumes et des fruits.

Denis traitait ce sujet avec d'autant plus de verve qu'il leur était familier, à sa sœur et à lui, depuis leur 30 enfance. Ils s'étaient toujours complu dans cette idée de vivre sur la propriété, de jouer au fermier et à la fermière.

— Ce serait plus agréable pour toi que de passer tes journées dans le magasin de Chardon.

76

— Et nous resterions ensemble, rien ne serait changé.

Il ne put retenir un cri:

— Tu trouves que rien ne serait changé? Il sera là, lui . . .

Elle lui mit la main sur la bouche. Il se dégagea:

— Tu sais bien que Pierrot a pris pour lui toute l'intelligence de la famille Costadot: il n'a rien laissé aux autres . . . Oui, celui-là, il était digne de toi . . .

Rose serra le bras de son frère:

— Avoue que si Pierrot n'avait pas été un enfant, si je l'avais aimé d'amour, tu ne lui aurais pas pardonné à lui non plus . . .

— Non bien sûr, répondit-il à mi-voix. Déjà je ne lui pardonne pas . . .

— Qu'est-ce qu'il t'a fait, le pauvre petit?

Denis respira fortement, passa le revers de sa main sur son front mouillé:

— Je déraisonne, excuse-moi . . . J'aime Pierrot, j'aimerai Robert, je vous aimerai tous, pourvu que nous ne soyons pas séparés toi et moi. Il faut garder Léognan, chérie. Si Robert accepte . . . mais aura-t-il tant de peine à accepter un pareil cadeau?

Rose promit de lui en parler, pourvu qu'on lui laissât choisir son moment.

*

*   *

Ce même soir, à peine le dîner achevé chez les Costadot, Pierre, comme il faisait toujours, regagna sa chambre, mais Robert demeura quelques instants au petit salon avant d'aller travailler. Sa mère ne lui posait aucune question. Elle l'aidait parfois d'une interjection ou d'un simple regard à se débarrasser de ce qu'il avait à dire. Comme Robert laissait entendre que Rose s'efforcerait de servir les intérêts de sa famille en ce qui concernait Léognan :

— Pour cela non, mon enfant, protesta-t-elle. Non, je
5 ne croirai pas cela de Rose. Je connais cette petite. Naturellement, je n'ai sur elle aucune de tes illusions, tu ne le voudrais pas. Je n'ai jamais cru qu'elle fût une femme de ressource, j'espère me tromper. Pour courageuse, elle l'est ; mais les bonnes dispositions ne tiennent pas lieu
10 des qualités qu'on n'a pas. D'ailleurs, la pauvre enfant n'a aucune résistance. L'autre jour, quand tu me l'as amenée, moi qui ne l'avais pas vue depuis les tristes événements, je crois que je ne l'aurais pas reconnue . . . Il faudra la mettre au vert,[1] je ne dis pas avant le mariage,
15 parce que tu ne dois à aucun prix lui faire perdre son gagne-pain, mais après . . . Ce que les hommes sont bizarres ! Moi je ne comprends pas qu'une fille lymphatique puisse plaire . . . Enfin, elle te plaît, il n'y a pas à revenir là-dessus.[2] Mais quant à la croire capable d'entrer
20 dans des manigances, d'essayer de te faire marcher . . .

Robert protesta qu'il ne l'en avait jamais soupçonnée. Il croyait seulement qu'elle se laissait manœuvrer.

— Eh bien ! mon petit, n'hésite pas à couper court dès qu'elle abordera ce sujet avec toi. Il y a deux sortes
25 de jeunes filles : celles qui quittent la maison sans tourner la tête et qui épousent étroitement l'intérêt de leur mari, et celles qui restent de cœur avec leurs parents, trahissent leur nouvelle famille. Si ta Rose appartenait à cette dernière espèce, je te plaindrais et je nous plaindrais : la
30 situation est déjà assez sombre pour toi, pour nous tous.

---

1 Il faudra . . . vert *You must have her stop working.*
2 il n'y . . . là-dessus *there is no reason to discuss this matter again.*

Ce mariage représente dans ta vie, au début de ta carrière, un désastre suffisant . . .

Robert se leva.

— Pourquoi essayes-tu de me monter la tête? demanda-t-il plaintivement. On dirait que ça te fait plaisir.

Elle protesta:

— Moi, j'essaie de te monter la tête?

Il revint vers elle:

— Qu'espères-tu? Mon mariage est décidé, il est fait. Efforçons-nous d'en voir les bons côtés . . .

Elle répondit, implacable:

— Il n'a pas de bons côtés.

— En tout cas, insista-t-il, j'ai donné ma parole.

— Tu donneras ta parole devant le maire et le curé.[1] Tu n'en es encore qu'aux promesses. Eh bien! oui, cria-t-elle tout à coup, tu vas m'en vouloir, mais tant pis, je compterai jusqu'à la fin sur je ne sais quoi, une maladie, un tremblement de terre, comme la mère du condamné à mort . . .

Elle s'attendait à un éclat. Mais Robert demeura quelques secondes sans répondre. Il dit enfin à mi-voix:

— Elle en mourrait.

Léonie Costadot avala, se leva lourdement, mit les deux mains sur les épaules de Robert et, cherchant son regard:

— Toi, mon petit, tu n'as plus d'illusions, tu te mets la corde au cou en voyant clairement ce que tu fais . . .

Il l'assura mollement qu'il aimait Rose, que, d'ailleurs, c'était trop tard; il répéta qu'elle en mourrait.

— Elle souffrirait, oui, mais elle souffrira plus encore

---

1 devant le maire et le curé *French law requires a civil marriage at which the mayor often officiates. Catholics usually follow this with a religious wedding ceremony.*

auprès d'un mari qui ne lui pardonnera jamais sa vie manquée.

Elle sentait qu'elle aurait dû s'en tenir là, ne pas essayer de poursuivre son avantage. Mais elle ne put 5 résister à la tentation de prendre dans son bureau le dossier des partages dont Robert connaissait bien la chemise jaune.

— J'ai reçu hier un aperçu approximatif de ce qui vous restera à toucher une fois payé le fisc, le notaire, les ex- 10 perts. Dix mille francs de rente au plus . . .

Il répondit d'une voix changée :

— Tu t'hypnotises sur des questions d'intérêt. C'est d'une créature vivante qu'il s'agit ; le sort est en jeu d'une petite fille sans défense.

15 Elle l'attira contre lui :

— Je pense à toi, mon chéri. Tu ne peux m'en vouloir de penser d'abord à mon garçon. Je ne veux pas que tu sois malheureux.

— Je serai heureux si elle est heureuse, dit-il ardem- 20 ment. Je ne pourrai supporter l'idée qu'elle souffre à cause de moi.

— Pour cela, reprit-elle, je te comprends. Il ne faut rien faire dont tu puisses rougir plus tard.

— Alors ? tu reconnais toi-même qu'il n'y a pas d'issue ?

25 Elle sentit une légère déception dans sa voix, et avança prudemment :

— Il y a toujours une issue. Mais on ne la voit pas du premier coup . . .

Sur le seuil de la porte, il se retourna et dit :

30 — Je ne voudrais pas que tu puisses me croire ébranlé . . .

— Je ne crois rien, mon chéri. Tâche de dormir, ne travaille pas trop tard.

80

10

Comme l'orage grondait sur Bordeaux depuis deux jours elle lui avait dit:

« S'il pleut, attendez-moi chez le pâtissier, en face du jardin; oui, chez Jaeger; à six heures, il n'y a personne. »

Le quart de six heures avait sonné.[1] Robert avait déjà mangé trois gâteaux, et, maintenant, il était écœuré. L'eau ruisselait contre la boutique. « Si dans cinq minutes elle n'est pas là, je partirai . . . », songeait-il. Il avait ses nerfs des jours d'orage, il en avait conscience; il connaissait et redoutait cette irritabilité presque folle. Comme dans son enfance, le front collé à la vitre, il observa le jet minuscule de chaque goutte sur le trottoir.

Il se disait bien que Rose avait dû être retardée par la pluie: elle ne pensait à rien, elle ne devait pas avoir de parapluie; elle arriverait dans un joli état . . . Il tourna les yeux vers les deux jeunes filles qui l'avaient servi tout à l'heure et qui chuchotaient derrière le comptoir. Il essaya d'imaginer l'impression que leur ferait Rose, et eut honte de sa honte. Il se leva, mit une pièce de monnaie sur la table . . . Alors, il vit Rose qui s'arrêtait devant la porte, fermait avec peine un ridicule parapluie d'homme qu'avait dû lui prêter Chardon. Le vent collait contre ses cuisses une jupe mouillée. Elle entra, ne sut

1 Le quart . . . sonné *It had struck a quarter past six.*

81

où poser son parapluie ruisselant qu'une des demoiselles lui prit des mains, et alla s'asseoir près de Robert.

— J'ai couru, dit-elle.

Il lui jeta un regard à la dérobée:

5 — En quel état tu es ! tu vas attraper du mal . . .

— Oh ! je suis résistante ! Ma jupe est lourde de pluie, j'ai les pieds trempés, et je ne me changerai que dans deux heures ! Mais ça ne fait rien, tu es là.

— Tu te négliges trop, Rose. Tu méprises trop . . .

10 Elle l'interrompit, croyant que c'était une louange:

— Non, non . . . je ne suis pas plus courageuse qu'une autre, je n'ai aucun mérite à ne pas penser à certaines choses: rien n'a d'importance que nous deux, dit-elle à voix basse.

15 Elle approcha de ses lèvres le verre de Malaga qu'on lui avait apporté.

— Il faudrait aussi penser à moi, dit-il, penser à la petite Rose que j'ai aimée . . .

Elle le dévisagea avec étonnement. Il insista:

20 — Elle n'avait pas une jupe trempée de pluie, cette petite Rose, ni des souliers pleins d'eau, ni des mèches sous son vieux chapeau . . . Ce n'est pas un reproche, reprit-il vivement. Mais quelquefois, il faut me pardonner si je dois faire un effort . . .

25 Elle ne le quittait pas des yeux. Il perdait pied:

— Je voudrais que tu aies pitié de toi-même . . . je veux dire: de ton visage, de tes mains, de tout ton corps . . .

Elle cacha vivement ses mains sous la table. Elle était 30 devenue pâle:

— Je ne te plais plus?

— Ce n'est pas la question, Rose . . . Je te demande d'avoir pitié de toi-même. Tu es la seule femme que

je n'aie jamais vue se regarder dans une glace. Il te
suffirait d'un regard pour comprendre ce que je veux dire.

Le magasin était assombri par la pluie épaisse et par
les ormeaux du cours de Gourgue. Elle avait baissé la
tête sur le baba qu'elle mangeait. Il comprit qu'elle 5
pleurait et n'en fut pas attendri. Ce qu'il éprouvait,
c'était cet agacement, cette crispation qui se traduisit
par ces mots à peine murmurés: « Allons, bon! des
larmes maintenant . . . » Elle dit, sans lever la tête:

— Je mérite tes reproches, chéri . . . mais si! Je vais 10
t'expliquer: j'ai été habituée à être servie, depuis mon
enfance. On faisait tout pour moi; on préparait mon
bain, on faisait chauffer mon peignoir, la femme de
chambre me frictionnait, me coiffait. Crois-tu que jusqu'à ces derniers temps, je n'avais jamais boutonné mes 15
bottines moi-même? Maintenant je rentre tard, je me
lève à l'aube . . . Alors, je simplifie. Je me rends compte
que je ne fais pas le nécessaire . . . Je croyais que nous
nous aimions au delà de toutes ces choses . . . Je croyais
que notre amour . . . 20

Elle ne put continuer. Un sanglot l'étouffait. Il ne
l'aidait d'aucune parole. Il attendait, avec le sentiment
obscur qu'ils suivaient tous deux une route inconnue
qui pouvait le mener bien plus loin qu'il n'eût osé le
rêver. Tout à coup, elle lui prit la main, il vit de tout 25
près sa petite figure jaune et mouillée.

Elle l'appela: « Robert! » Elle eut le sentiment qu'il
s'éloignait, qu'il était déjà trop loin pour que sa voix
portât jusqu'à lui. Mais non, ce n'était pas vrai, elle le
voyait assis là, une table les séparait. C'était son fiancé, 30
et elle serait sa femme en octobre. Et lui, il éprouvait
en même temps qu'elle son angoisse et retenait ses
coups.

— Tu vas prendre mal, dit-il. Viens à la maison, j'allumerai un grand feu.

Elle le remercia humblement. Ils s'enfoncèrent sous la pluie et jusqu'à la maison Costadot, n'échangèrent plus une parole. Robert savait que, ce jour-là, sa mère rentrait tard de la réunion des Dames de Charité. Il introduisit Rose, non dans sa chambre, mais au petit salon, et fit porter de la cuisine des fagots de sarments. Il lui dit d'enlever ses souliers. Elle rougit:

— Pardonne-moi, je crois que j'ai un bas troué . . .

Il détourna un peu la tête. Ses vêtements fumaient autour d'elle. Dans la glace de la cheminée, elle se vit tout à coup telle qu'elle apparaissait à Robert. Elle enleva son chapeau et essaya de rattraper ses mèches. Il avait pris les bottines, il en toucha les semelles et les rapprocha du feu. Rose, qui était debout, se pencha vers lui assis un peu en retrait et, pour l'obliger à la regarder, lui prit la tête à deux mains:

— Tu es bon, dit-elle avec élan.

Il protesta violemment:

— Non, ne le crois pas, Rose. Non, je ne suis pas bon.

Et tout à coup, ces mots qu'il n'avait pas préparés, cette petite phrase qui s'était formée en lui à son insu s'échappa, sortit:

— Pardonne-moi, je ne t'aime plus.

*
* *

— Non, cria-t-elle, non! non!

Elle mit une main sur sa gorge, la tête un peu inclinée vers la cheminée. C'était ce garçon qui venait de parler, le même à qui elle avait renoncé après leur ruine et qui était venu la rechercher. Elle ne comprenait pas. Elle ne prononçait aucune des paroles que Robert attendait et où se fût trahie la fureur d'une femme humiliée. Alors il aurait pu rendre injure pour injure. Tout se fût consommé [1] dans une lutte affreuse, il n'aurait pas été cet assassin timide d'une petite fille sans défense. Mais Rose ne savait que souffrir et aimer. Qu'elle était forte, ainsi démunie ! S'il cédait à l'attendrissement, ce serait fini, il serait lié de nouveau et à jamais. Encore une petite poussée, et la porte allait s'ouvrir : le coup était porté, le plus dur était accompli . . .

— Je te parais méchant, mais je pense à toi . . . Je ne suis plus sûr de pouvoir te rendre heureuse. Si j'ai changé, c'est que tu as changé . . . Il ne sert de rien que tu remettes tes vieilles robes, tu ne seras plus jamais la Rose de l'année dernière . . .

Il discutait, il donnait des raisons, elle reprit espoir :

— Mais si, je suis toujours la même : je ne vais plus aller chez Chardon, dès demain tu reconnaîtras ta petite Rose. Je ne quitte plus Léognan . . . Je gagnerai davantage à m'occuper sérieusement des bêtes, des légumes . . . Parce que tu sais, reprit-elle tout à coup, comme saisie d'une inspiration, ce n'est pas une fiancée sans dot que tu as . . . J'ai une belle dot : on me donne Léognan, ils se sont tous mis d'accord . . . Léognan ! tu imagines cela ? Bien sûr, ça représente des frais, mais nous vivrons sur la propriété, la vie de tous les jours ne nous coûtera rien. Déjà, nous n'allons guère plus d'une fois par semaine à la boucherie . . .

Il la laissait courir. Elle s'engageait dans une direction inespérée. Il allait pouvoir s'abandonner à la colère qui commençait de le gagner. Elle le croyait séduit et insistait :

[1] Tout se fût consommé *It would all have been over.*

85

— On ne sait pas ce que ça vaut une propriété comme Léognan . . . Peut-être un million . . .

Il l'interrompit d'une voix coupante :

— Vraiment? Eh bien! alors, le plus sûr serait de
5 vendre . . .

— Oh! non, nous n'aurons pas le droit de vendre . . .

— Mais puisque la propriété nous appartiendrait?

Elle répondit, naïvement, comme si c'était la chose la plus simple, qu'on ne leur donnerait Léognan qu'afin
10 de pouvoir le garder . . . Il se leva, et répondit durement :

— Ta famille me croit plus idiot que je ne suis. On me donne une propriété ruineuse à entretenir, et tous ses habitants à nourrir, par-dessus le marché?
15 Mon Dieu! elle avait fait fausse route.[1] Elle balbutia :

— Quels habitants?

— Ta mère, Julien, Denis . . . Leur intention n'est pas de faire place nette,[2] j'imagine?

— Mais Robert . . . la maison de Léognan est si
20 grande! Il y a de la place pour tous . . .

Il éclata d'un rire forcé :

— Pour tous, oui, justement!

Elle comprit qu'il avait découvert un prétexte, que ses griefs trouveraient maintenant où s'accrocher, qu'elle
25 était perdue :

— Je ne songeais pas à ces choses, ou plutôt j'en écartais la pensée, avoua-t-elle d'une voix humble. Je prévoyais bien des difficultés, mais je me disais que tu saurais les résoudre. J'avais une telle confiance en toi
30 que je me déchargeais sur toi de tout l'avenir . . . Je croyais que tu m'aimais, reprit-elle dans les larmes, et

1 elle . . . route *she had got off on the wrong track.*
2 Leur . . . nette *They have no intention of vacating.*

86

moi je sais ce qu'est l'amour, je sais qu'il ne pense pas
à sa peine future, qu'il n'existe pas de charges pour lui
ou plutôt que toute charge est aimée d'avance et bénie.
J'aurais été capable de tout accepter pour toi . . . Alors,
je pensais que toi aussi . . .   5
    Il était allé vers la fenêtre ouverte. Elle comprit qu'il
attendait qu'elle fût partie. Ce fut à ce moment-là qu'elle
ressentit dans sa chair que c'était fini du bonheur, que
plus jamais . . . Pourtant il se trouvait encore dans la
même pièce qu'elle. Elle aurait pu toucher sa nuque   10
frisée. Déjà, elle faisait quelques pas dans la direction
de la porte. Robert songeait: « Ça va être fini ». Elle
avait été éloignée de lui par son amour même. Cet océan
de son amour les avait séparés. Mais ce soir, la haine
de celui qu'elle aimait détruisait le mirage; les deux rives   15
de l'océan se rejoignaient: tout à coup il était contre elle,
la visait à bout portant.[1] Elle voyait de près l'expression
de son regard, elle sentait le souffle de ses paroles lâches
et menteuses. Cette âme apparaissait enfin nue à ses
yeux telle qu'il lui avait plu de ne pas la voir — telle   20
qu'elle avait refusé de la voir avec cette volonté d'aveuglement dont déborde toujours celui des deux qui a de
la grandeur, quand l'autre est de l'espèce basse. Elle
savait maintenant qu'il n'aurait pas un cri jailli des entrailles; jusqu'à ce qu'elle fût sortie de la pièce, rien ne   25
lui viendrait plus de cet homme que des indignations
feintes. Elle vit clairement qu'elle était engagée déjà
sur la plus déserte des routes, avant même le seuil de
la porte, avant la première marche de l'escalier. Qu'elle
avait hâte maintenant de s'y enfoncer. Mais les larmes   30
l'aveuglaient, elle ne trouvait pas l'issue. Le visage con-

---

1 tout à coup . . . portant *suddenly he was against her, he was aiming
point-blank at her.*

tre la fenêtre, Robert ne la guidait pas. Elle tourna un loquet: ce n'était pas la porte du palier, mais celle qui donnait sur le grand salon. Elle heurta une masse immobile, coiffée d'un chapeau où bougeait une grappe de
5 raisins noirs.

— J'arrive des Dames de Charité, dit précipitamment Léonie Costadot. Je venais d'apprendre que vous étiez là . . .

Rose, fidèle au dressage qu'elle avait subi, fit une
10 courte révérence de jeune fille, puis dit d'une voix claire et calme:

— Je m'en allais, Madame, ne vous dérangez pas. C'est l'heure de mon tram. Robert est au petit salon.

— A bientôt Rose. J'espère que tout va bien à Léognan.
15 Ne m'oubliez pas auprès de ma vieille amie . . .

Léonie descendit derrière la jeune fille jusqu'à l'entresol. Elle sentait qu'il aurait fallu l'accompagner, la suivre de loin . . . Elle hésitait encore lorsque retentit le bruit de la porte refermée; alors elle dut s'appuyer
20 au mur sans comprendre ce qu'elle éprouvait. Pour la première fois, elle s'était trouvée face à face avec une de ses actions. Toutes nos actions n'ont pas un visage. Il est rare que nos crimes nous apparaissent sous l'aspect d'une enfant blessée à mort.

25 Léonie Costadot cria depuis la porte à Robert:

— Vite! rattrape-la.

Il secoua la tête en disant que c'était trop tard.

— Non si tu cours . . .

Il n'osait pas la regarder. Il s'essuyait les mains avec
30 un mouchoir.

— Voyons, maman, tu n'y penses pas? Cela a été affreux, oui, mais les frais en sont faits.[1]

1 les frais en sont faits *it is all over.*

88

Léonie s'étonnait qu'il pût rester si calme : il ne l'avait pas vue, ce n'était pas possible ! Il ne l'avait pas regardée !

Robert s'approcha de sa mère :

— Enfin, maman, dit-il à mi-voix, je n'y comprends rien . . . Tu n'es pas contente? 5

Non, elle n'était pas contente ! Elle protesta qu'elle ne voulait pas de ce mariage, bien sûr ! Mais elle ne voulait pas non plus qu'il se conduisît comme une brute. Elle tenait à ne pas rougir de ses fils !

— La logique n'a jamais été ton fort, c'est toi qui 10 m'as monté la tête, ne dis pas le contraire ! Et puis tu me reproches toujours mon manque de volonté; et pour une fois . . .

Elle lui coupa la parole : comme si ce défaut de maîtrise n'était pas un défaut de volonté ! il n'y avait que les 15 êtres faibles pour s'acharner ainsi contre une enfant sans défense qu'il eût été si facile d'écarter peu à peu . . . Il détourna la tête :

— Tu as peut-être raison, avouait-il d'une voix changée, je frappais au hasard pour que ce soit fini plus 20 vite. Tu as entendu ce que je lui ai dit?

— Les dernières paroles seulement, cela m'a suffi . . . Mais je l'ai vue . . .

Après un silence, elle demanda si la petite rentrait seule à Léognan. Oui, elle rentrait seule, il n'y avait 25 pas songé. Léonie Costadot murmura :

— Nous ne dormirons pas cette nuit, je le crains . . .

Robert l'avertit qu'il avait décidé de se coucher le plus tard possible : ce qu'il allait faire? qu'elle ne le lui demande pas. Le voilà libre maintenant. C'est ça qui 30 est bon malgré tout. Libre . . .

L'enfant humilié et sournois avait trouvé le joint pour inquiéter sa mère. Il riait. Il n'avait pas bu, mais une ébriété monte de certains actes. Tout à coup, son regard devint fixe, il prononça le nom de Pierrot:

— Je n'avais pas pensé à lui . . . Où est-il?

— Il dîne ce soir avec des amis. Tu sais que je ne le
5 tiens plus . . . Il ne me demande même plus la permission.

L'air misérable de Robert l'exaspérait. Il répétait: « Qu'est-ce qu'il faudra lui dire? »

— Voyons, Robert, tu es l'aîné, tu n'as pas de comptes
10 à lui rendre.

Il secoua la tête. Elle ne connaissait pas Pierrot, elle ne savait pas de quoi il était capable.

*

*   *

Quand il fut sorti, Léonie ne songea pas à enlever son chapeau. Sur sa tête, les grains de raisin noir tremblaient.
15 Cette machine à calculer, en elle, s'arrêtait tout à coup; les devis cessaient d'entre-croiser leurs chiffres; les immeubles ne dressaient plus dans son imagination leurs façades exigeantes; elle ne pensait plus soudain à telle police d'assurances qui n'était pas renouvelée, ou à un
20 papier qu'il fallait qu'elle retrouvât coûte que coûte dans des liasses de relevés de compte.

Ce ne fut qu'un éclair: déjà elle dominait son attendrissement, suivait son instinct qui était « de reprendre le dessus ».

25   « Il va falloir le marier vite, songeait-elle. C'est assez de Gaston dans la famille, pour faire des bêtises. Une de perdue, dix de retrouvées,[1] et cette fois sans charges de famille, et avec de la fortune. En somme qu'y a-t-il sur le marché comme beaux partis? Ça ne pullule pas; sur-

1 Une . . . retrouvées *There are always more fish in the pond.*

90

tout ne pas chercher du côté de ceux qui font de l'esbrouffe. Et pourquoi pas à la campagne? Dans les Landes? [1] Là est l'avenir, les pins prennent de la valeur . . . Le solide plutôt que le brillant . . . J'ai taillé, maintenant il faut recoudre. » [2]

5

1 les Landes *a vast and somewhat desolate region of pines and sandy soil near Bordeaux.*
2 J'ai . . . recoudre *I have made my bed, now I must lie in it.*

11

CE soir-là, Pierrot ne dînait pas avec des amis comme
il l'avait fait croire à sa mère: sauf Denis Révolou, il
n'avait aucun ami avec lequel il pût dîner au restaurant.
Assis seul à une table, dans un caboulot près des quais,
5 il avait commandé des moules marinière, des anguilles,
de la salade, du roquefort qu'il avait écrasé et arrosé
d'un verre d'armagnac; et il achevait « à lui tout seul »
une bouteille de Clos Fourtet.[1]

Il était déjà ivre, mais d'une ivresse légère, lucide, qui
10 le faisait bourdonner de vers, de strophes; des idées
éblouissantes le traversaient comme des bolides. Mille
pistes s'éclairaient en lui, d'étranges rapprochements de
faits, des jugements littéraires. Il ne notait rien, trop
riche pour ramasser les diamants qui tombaient de ses
15 poches. Il lui en resterait toujours assez, croyait-il.

Il remontait le cours des Fossés, les yeux levés au-
dessus d'une humanité en bras de chemise et en bretelles,
tassée sur les chaises des seuils. Comme ces martinets
dont les vols s'entre-croisaient, les vers qu'il avait écrits
20 la veille et qu'il était impatient de retrouver dans la
marge de son cahier d'histoire naturelle, s'agitaient en
lui, se dérobaient . . .

Il atteignit la cathédrale et cette place proche de la

1 Clos Fourtet *a vintage wine.*

maison qu'il habitait, où s'élève un bronze en l'honneur des vaincus de 70.[1] Sur le banc, à côté des contrôleurs des tramways, cette femme assise ressemblait à Rose. Quelques pas encore, et il la reconnut, sans être certain que ce fût elle. Il prononça son nom, elle tressaillit.   5
— J'ai eu un étourdissement, dit-elle. C'est l'orage sans doute. Je dois avoir une terrible mine . . . Je sortais de chez toi . . . Cela va mieux, et le dernier tramway est manqué . . . Non, non : ne dérange pas Robert. D'ailleurs il est sorti, il est allé travailler chez des camarades. Si 10 tu pouvais me trouver une voiture . . .
Pierrot se souvint d'une remise, rue des Trois-Conils. Quand il fut parti, elle alla tremper son mouchoir à la fontaine Wallace, se frotta les yeux et les joues, lava ses mains. Pierrot descendit d'une voiture découverte.   15
— Mais oui, dit-il, bien sûr je t'accompagne ! Penses-tu que je te laisserais faire la route toute seule, à cette heure-ci, dans l'état où tu es ? . . . Et puis ça me fait plaisir cette course en voiture, la nuit.
Elle protestait en vain, il ne lui restait pas de forces 20 pour discuter. Déjà il était installé à côté d'elle et les pavés secouaient la vieille victoria. Rose parlait, pour donner le change au garçon. Elle disait qu'à Léognan on ne s'inquiéterait pas, cela lui était arrivé déjà deux fois de manquer le tramway. Pierrot chantonnait d'une voix 25 fausse : *O douce étoile, feu du soir.*[2]
— Rose, dit-il tout à coup et comme s'il avait pensé à voix haute, crois-tu que les enfants puissent aimer, ce qui s'appelle aimer ?
Elle dit : « Je ne sais pas », serra les lèvres.   30

1 les vaincus de 70 *the heroes of 1870* (*Franco-Prussian War*).
2 « O douce étoile, feu du soir » (*O du mein holder Abendstern — an aria from the opera* Tannhäuser, *by Wagner*).

93

— Tu ne sais pas combien je t'ai aimée . . . Et je t'aimerai toujours. Ne te moque pas de moi, supplia-t-il. Dis n'importe quoi, mais ne ris pas. Je sais que j'ai dix-huit ans. Il ne faut pas me regarder, oublie ma figure.

— Je n'ai pas à oublier ta figure, dit-elle, sans tourner la tête vers lui. Elle est au dedans de moi, elle y sera toujours. Plus tard, quand tu seras célèbre, que le monde entier connaîtra ton nom, je te verrai toujours tel que tu es aujourd'hui, tel que te voilà, ce soir, près de moi. Ce soir précisément . . . ce soir que je n'oublierai pas.

Il ne comprit pas d'abord qu'elle balbutiait:

— C'est fini! fini!

Il l'avait attirée contre lui, il lui demandait:

— Qu'est-ce qui est fini?

Il ne crut pas tout de suite qu'elle parlait de Robert quand elle disait:

— Il m'a quittée, il ne m'aime plus, c'est fini.

La première réaction de Pierre fut de crier:

— C'est fini? Tu vas voir si c'est fini! dès demain je te le ramène sur les genoux; tu entends? sur les genoux.

Elle secouait la tête, gémissait:

— Tu ne peux rien, ni toi, ni personne. Lui-même ne peut rien contre cela qu'il ne m'aime plus. On ne ressuscite pas un mort. Si tu l'avais vu, si tu l'avais entendu . . .

*
* *

En haut de la côte, le cheval se remit à trotter. Pierre aperçut de loin, à la hauteur de la petite route des communs une ombre arrêtée. Mon Dieu! il avait oublié Denis.

— Il est là, au bord de la route, à guetter . . . Comment faudra-t-il s'y prendre . . .

Il fut stupéfait d'entendre ce pauvre rire de Rose:

— Oh! dit-elle; ce n'est pas la peine de t'inquiéter: il ne prendra pas si mal cette rupture, tu verras! Peut- 5 être même n'en sera-t-il pas étonné . . . Il y a des choses que j'entrevois . . . ajouta-t-elle à voix basse.

Il protesta: « Non, ma petite Rose . . . non! » Il l'avait donc comprise, lui aussi? Rose demanda au cocher de ne pas aller plus avant et d'attendre sur la grand' route, pour 10 ne réveiller personne au château, Denis se précipita:

— Qu'est-il arrivé?

— Oui, il s'est passé des choses, dit Pierrot qui aidait Rose à descendre. Nous allons t'expliquer . . .

Denis le reconnut, et, sans lui tendre la main, de- 15 manda avec une angoisse irritée:

— Comment, tu es là, toi? Tu l'as accompagnée? Vous étiez seuls?

Ils marchaient de front sur le chemin, Rose entre les deux garçons. Denis insistait: 20

— Pourquoi l'as-tu accompagnée? Est-ce que Robert . . .

Il se tut après avoir prononcé le nom détesté. Même s'il n'avait pas tout déchiffré, dès le premier regard, sur la figure méconnaissable que lui tendait sa sœur, il lui 25 eût suffi de ce baiser, il lui eût suffi du goût amer de cette joue brûlée par les larmes . . . Rose déclara d'une voix sèche:

— Qu'il ne soit plus question de Robert entre nous. Voici en deux mots la vérité toute simple: il ne m'aimait 30 plus assez pour consentir aux difficultés, aux charges d'une pareille union. Nous nous sommes séparés d'un commun accord. Voilà, tout est dit.

— Oui, pour l'instant, gronda Denis. Mais lorsque nous serons entre nous, j'aurai le droit de poser quelques questions.

Elle soupira:

5 — Parle tout de suite et que ce soit fini.

— Non, tant qu'il y aura cet étranger.

Ils avaient atteint le portail. Denis sentit se refermer sur son bras l'étau d'une main. Il cria: « Lâche-moi, brute! »

10 Mais Pierrot resserrait son étreinte:

— Écoute, dit-il, oui, à partir de cette heure, je te deviens étranger. Mais devant toi, je rappelle à Rose que je lui donne tous droits sur ma personne, sur ce que je possède ici-bas . . . Où que je me réfugie, elle aura tou-15 jours mon adresse, elle saura où me trouver.

Au milieu de la route Rose était immobile, absente, morte.

— Tout ce que vous pouvez faire pour elle, toi et les tiens, c'est de vous écarter; vous avez toujours été le 20 malheur, son malheur, notre malheur.

— Mais toi aussi, Denis, tu fais partie de son malheur . . . Si jamais elle était lasse de ta défense, si jamais elle avait besoin de ma protection contre la tienne . . .

25 Denis leva un poing débile que Pierre saisit au vol: « Denis! » appela-t-il d'une voix qui ne ressemblait pas à ce geste. Il soutint le regard fixé sur le sien, cet œil du petit rapace jugulé. Peut-être disait-il adieu à ce visage qui lui était cher, à cette faiblesse, à ce trouble des senti-30 ments vagues et indistincts pour lesquels les hommes n'ont pas trouvé de nom. « Adieu! » répéta-t-il. Et il partit en courant vers la grand' route où brillaient les lanternes de la voiture.

— Quelle brute! dit Denis en frottant son poignet. La question que je voulais te poser . . . ajouta-t-il, tandis qu'il gravissait derrière Rose les marches du perron . . . Ah! oui: pourquoi se trouvait-il dans la voiture?

Ils étaient sur le seuil du billard. Elle se tourna vers lui:

— Écoute, Denis, je ne sais pas comment je marche encore . . . C'est étonnant que le cœur continue de battre . . . Alors, laisse-moi. Demain il faut que je me lève à l'heure habituelle, que je reprenne mon travail . . . Mais oui, bien sûr! Vous n'avez que moi, maintenant. Plus que jamais je dois tenir le coup. Je ne sais pas comment je serai demain matin, je sais seulement qu'il faut que je guette le tramway à la même heure . . .

Elle ne put poursuivre, traversa la salle, s'engagea dans le vestibule que des bougeoirs éclairaient. Denis la suivait, en répétant:

— Et moi alors? moi, je suis toujours là, Rose . . .

— Toi?

Elle haussa les épaules, s'accrocha à la rampe . . . comme si la famille pouvait nous secourir quand nous aimons! Aucun secours n'est jamais venu à personne d'un père, d'un frère, d'un fils. Le cercle de notre enfer leur est interdit. Rose avait une grande tendresse pour Denis, mais elle ne recevrait pas de lui la moindre goutte d'eau.[1] Il comprit, à cette seconde, que loin de lui rendre sa sœur, cette rupture l'en séparait davantage encore. Le tourment qui lui venait de Robert entourait la jeune fille d'une étendue infranchissable: ce désespoir étale comme la mer. Il ne restait plus à Denis que de se coucher sur le sable et de la regarder souffrir.

1 mais . . . d'eau *but she would not get the slightest help from him.*

Durant le trajet du retour, Pierre s'était joué à lui-même la scène qu'il comptait avoir avec son frère, dès cette nuit . . . Non, il n'attendrait pas le matin: il entrerait dans la chambre du misérable, l'arracherait au sommeil et lui dirait . . . lui dirait quoi? Ah! il avait le temps d'y réfléchir! Sur une route, la nuit, face au ciel où la lune à son déclin noie les dernières étoiles, le voyageur n'imagine pas qu'il puisse jamais arriver. Mais les roues, déjà, réveillent la banlieue endormie.

La façade revêche apparut de la maison où Pierre était né, où il accomplirait ce qu'il avait résolu. Il entra sans frapper dans la chambre de Robert, et, avant même d'avoir allumé la bougie, comprit qu'elle était vide. Il vit le lit entr'ouvert, la table rangée avec soin. Ce parfum de tabac et d'ambre, Pierre le connaissait et aussi cette odeur plus animale qu'il reniflait depuis l'enfance. La bête finirait bien par rentrer au gîte, où qu'elle eût chassé cette nuit.

Malgré son désir de sommeil, Pierre le guetterait ici même. Pour se tenir éveillé, du fond de ce fauteuil capitonné où il s'était blotti si souvent, il compta les cartes d'invitations prises dans la rainure de la glace, puis essaya de se rappeler la diatribe qu'il avait préparée. Mais non, mieux valait s'abandonner à l'inspiration du moment. Qu'il avait de mal à demeurer les yeux ouverts!

Un pas hésita devant la porte qu'il eût dû reconnaître, et il ne l'entendit pas. Dès le seuil, Robert vit son jeune frère la tête appuyée sur la joue droite, et fut au moment de prendre la fuite. Mais à quoi bon? Il fallait coûte que coûte passer à travers cette rage. Qui donc avait averti le petit? Robert fit un geste pour l'éveiller. Il hésitait. Au-dessus du garçon endormi, sa propre figure lui apparut dans la glace de l'armoire. Ce qu'il avait accompli, cette

98

nuit, ne s'y déchiffrait pas. Ses yeux n'étaient pas plus battus que de coutume. Qu'appelle-t-on un front pur? Le sien l'était, sous les cheveux d'un roux sombre que l'aube, à travers les persiennes, allumait. Un pigeon sur la cheminée roucoula. Les moineaux du square Pey- Berland, tous à la fois, s'éveillèrent. Pierre, la bouche entr'ouverte, respirait calmement. Rose dormait-elle, à cette heure? Avait-elle eu la force d'arracher ses vête- ments, de s'étendre? Peut-être Pierre avait-il eu des nouvelles de la jeune fille, par Denis? Peut-être quelque malheur . . .

— Pierrot ! appela-t-il tout à coup . . . qu'est-il arrivé?

Le garçon ouvrit les yeux, posa sur son frère un regard absent, lui sourit avec tendresse et, tout à coup, se sou- vint: « Salaud ! » cria-t-il. Robert ne parut pas l'entendre. Il l'interrogeait: Avait-il des nouvelles de Rose? Pierre s'était levé:

— Je l'ai vue, je l'ai raccompagnée à Léognan. Non, rassure-toi, je l'ai laissée vivante, presque calme. Je voulais te dire, avant de m'en aller, que je te méprise, que je renie . . .

— Ce sont là de bien grands mots, mon petit Pierre.

Sans l'avoir cherché, mais par une défense incon- sciente, Robert avait pris cette voix mélancolique et chaude qui le faisait aimer. Pierre se sentit faible devant son grand frère . . . « *Je te ferai combattre par mon grand frère* . . . », cette phrase monta du fond de sa cinquième année, lorsque les garçons plus âgés le tourmentaient, « *Je te ferai combattre par mon grand frère* . . . » Alors, ce n'était pas à son aîné, à Gaston, qu'il songeait, mais à celui-ci dont il n'ose soutenir le regard suppliant, et qui a très peu changé depuis cette époque: car, à cinq ans, Pierre, déjà l'adorait comme un être très fort, très

grand, très beau; et aujourd'hui, Robert a la même
grâce un peu molle dans le regard et dans la voix, qu'en
ce temps-là, cette même enfance.

— Pourquoi as-tu fait cela? demanda Pierre avec douleur.

Le coupable écarta un peu les bras, ses lèvres re-
muèrent, et comme le petit prononçait un seul mot:
« L'argent . . . », il haussa les épaules:

— Non, Pierrot, il faut que tu comprennes . . .

Mais comment rendre sensible à ce juge qui avait dix-
huit ans, cette misère d'un homme de vingt-trois ans,
cette faiblesse dissimulée sous tant d'équilibre et de
force apparente?

— A quoi penses-tu, Robert? Qu'as-tu à me dire?

Il tressaillit, soutint un instant le regard de Pierre . . .
Non, tout cela était indicible, il ne pouvait parler.

— Je suis indéfendable, balbutia-t-il. Je ne me défendrai pas. Je te demande pardon. Et toi, qu'as-tu à me
dire?

— Collé ou reçu, dès le bachot fini, je partirai. Tu
t'en doutais, j'imagine?

Robert baissa la tête. Cela devait arriver. Mais c'était
très bien ainsi, disait la voix au dedans de lui: cet autre
témoin s'éloignait, ce témoin trop tendre et trop exigeant, ce juge incorruptible. « Lui aussi, ton jeune frère,
il me gênait. Plus que Rose peut-être, il t'eût condamné
à la grandeur, ou du moins aux apparences de la grandeur. Du moment que Rose se retire de ta vie, mieux
vaut qu'avec elle celui-là disparaisse, et qu'il n'assiste
pas à notre descente, à notre fuite, à notre évasion par
la porte souterraine. Tout est pour le mieux: il aurait
pu te supplier de revenir à la petite; tu es si faible! il
aurait pu espérer de te convaincre. Mais non, il n'a rien

tenté; on dirait qu'il pressent au fond de toi cette force de refus, qu'il subodore ma présence. Pleure, j'y consens, puisque tu le perds à jamais, ce petit frère adoré. Mais réjouis-toi de n'avoir plus personne pour témoin de ta joie, de notre joie jusqu'à la mort. » 5

Robert, qui s'était accoudé au dossier d'un fauteuil, écarta les mains de sa figure. Alors seulement il s'aperçut que Pierrot avait quitté la chambre. Le petit jour coulait à travers les persiennes éclairant à la fois, dans tous leurs angles, cette chambre affreuse et ce cœur 10 perdu.

12

Collé! cria Denis à sa sœur qui se frayait un chemin
à travers les candidats pressés autour de la liste.[1]
— Tu es sûr? Ce n'est pas possible . . .
Il l'entraînait dehors, elle avait peine à le suivre.
5 — Mon petit Denis, veux-tu que nous rentrions en
voiture? Je vais te payer une voiture. Il protesta: « Ah!
non, surtout pas de voiture », d'un air irrité. Elle n'insista
pas. Ils attendirent le tramway au coin de la rue de
Cursol. Le soleil invisible, à travers une nue orageuse,
10 brûlait la ville. L'hôpital proche sentait fort. Tout le
quartier Sainte-Eulalie était comme imprégné de phénol.
Rose essayait de remonter à la surface de sa douleur et,
comme une bonne nageuse, faisait des brasses pour se
rapprocher de son frère. « Depuis trois semaines, c'est
15 la première fois qu'elle arrête son attention sur moi »,
songeait Denis. Elle essayait de trouver une parole et
eut le tort de lui demander si Pierrot était admissible.
Il répondit: « Oui, je crois . . . »
Ce n'est rien un examen manqué . . . mais à dix-sept
20 ans, une première défaite, cela compte. Ce premier doute
de soi, cette crainte de n'être pas plus malin que les
autres et même de valoir moins qu'eux peut-être, cette

1 la liste *i.e. the list posted on the lycée bulletin board.*

brusque certitude qu'on ne sera pas du nombre de ceux qui dominent la vie . . .

Pourtant si Rose lui avait pris la main, l'avait couvé comme elle faisait autrefois de ce long regard qu'il chérissait, si elle avait fait sienne sa tristesse, s'ils avaient mêlé leurs larmes, cette soirée eût été plus douce qu'amère . . . Est-ce que ça durerait toute la vie, cette prison, cette clôture étroite de Rose dans la douleur qui lui venait de Robert, de ce pauvre être, de ce néant?

*

*   *

Sa mère parut plus affectée de cet échec qu'il ne s'y attendait; cette déception entrait dans son système d'inquiétudes de ce moment-là: Léognan vendu avant l'hiver parce qu'on ne pouvait réparer la toiture . . . Si Denis avait été bachelier on lui aurait trouvé plus facilement une place . . . S'il était collé encore en octobre, devrait-il poursuivre ses études?

*

*   *

Rose demanda à sa mère si elle ne voulait pas de dessert.

— Je ne sais pas comment Julien va prendre la nouvelle de ton échec, je vais le préparer, dit Mme Révolou en pliant sa serviette.

Denis se leva lui aussi, il ne pouvait rien avaler. Rose le suivit, fit quelques pas avec lui:

— C'est ennuyeux surtout parce que tes vacances seront écourtées . . .

Il ne répondit pas, attendant un geste plus tendre, le signe qu'elle était avec lui, qu'elle entrait dans sa

103

pauvre et médiocre angoisse de garçon « recalé ». Elle crut qu'il boudait comme il n'avait jamais cessé de faire depuis la rupture des fiançailles.

— Tu seras sûrement reçu en octobre.

5 — Il n'y a pas de raison . . . d'ailleurs, au point où j'en suis . . . Pour gratter du papier dans quelque entresol jusqu'à la fin de mes jours . . .

Elle sentait bien qu'il aurait fallu lui parler sur un ton plus intime, le consoler « de l'intérieur » . . . Un autre 10 désir l'occupait: être seule dans sa chambre pour lire une lettre qu'elle avait reçue l'avant-veille . . . Elle dit tout à coup:

— Je sens que tu préfères être seul.

— Non, Rose, non, ne me quitte pas.

15 Mais ceci fut prononcé à voix trop basse et, déjà la jeune fille s'était éloignée. Elle se hâtait vers sa chambre, vers ce rafraîchissement et sa joie: cette lettre de Robert qu'il fallait se retenir de lire sans cesse pour ne pas en épuiser le bienfait. Non qu'elle y trouvât un motif 20 d'espérer son retour: du moins reniait-il les paroles atroces du jour où il l'avait abandonnée.

« Je cherchais les mots qui pouvaient créer l'irréparable entre nous. Il fallait que je vous délivre de moi . . . » Toute la lettre n'était qu'un commentaire à 25 cette phrase que Rose avait d'abord trouvée obscure. Mais, à force d'y songer, elle finit par y rattacher une certaine image qu'elle gardait de Robert. Ce garçon sur lequel ses yeux s'étaient à peine reposés aux jours de sa joie, parce qu'elle ne les détachait guère du fiancé 30 imaginaire qu'elle portait dans son cœur, elle l'avait pourtant fixé sans le vouloir; certains traits de son être mortel s'étaient gravés en elle.

Dans la rage des premiers jours, comme sa mère répétait des racontars de Julien sur les fils Costadot, Rose s'était levée de table pour ne pas en entendre davantage. Pourtant, elle connaissait l'existence de cet être dont sa mère disait du mal. Cet inconnu était ce même Robert qu'elle aimait. Il ne faut pas choisir dans l'être qu'on 5 aime. Il faut le prendre tout entier, songeait-elle, on est chargé de lui tel qu'il nous a été donné par Dieu: elle croyait à ces liens secrets plus tenaces que ceux du sang.

« Si vous en avez la force et le courage, écrivait Robert, ne me rejetez pas, il me sera doux de savoir que je 10 demeure mêlé à votre existence sans que vous soyez asservie à ma misère. » Elle pouvait donc quelque chose pour lui; et, depuis qu'elle lisait et relisait cette lettre, elle s'en persuadait chaque jour un peu plus, bien qu'elle n'eût jamais été pieuse et qu'elle se fût toujours montrée 15 assez indifférente à cette religion toute formelle de sa mère, la seule qu'elle connût. Pourtant, elle avait recommencé de prier.

13

L'ESSENTIEL, madame, est de ne pas perdre de temps, dit le jeune chirurgien en observant la dame en noir dont « la figure lui disait quelque chose »; mais sur cette figure il n'arrivait pas à mettre un nom. Selon la méthode
5 qu'il tenait de son maître, il s'efforçait d'inquiéter assez la malade pour la décider à l'opération, tout en lui laissant de l'espoir. Lucienne Révolou ne le perdait pas non plus des yeux, cherchant à démêler ce qu'il fallait prendre et laisser dans les propos de ce débutant qui
10 mentait mal. Son corps se savait perdu et opposait aux arguments de son esprit une angoisse singulière, une fatigue différente de sa lassitude habituelle. Elle toussa dans sa main gantée et demanda:

— Nous sommes un peu gênés en ce moment, je vou-
15 drais savoir ce que cela coûterait.

Comme le docteur assurait qu'il tenait toujours compte des possibilités des malades . . .

— Oui, mais la maison de santé? Ce sont des frais énormes. La radiographie a déjà coûté cher . . . Je ne
20 voudrais pas que mes enfants . . .

— Au cas où vos moyens ne vous permettraient pas . . . Nous avons des chambres très confortables à l'hôpital, dit le jeune homme en rougissant. Elles communiquent avec la salle, mais le malade se trouve
25 isolé . . .

— Non, interrompit-elle sèchement, l'hôpital est impossible.[1] Je suis Mme Oscar Révolou, ajouta-t-elle pour couper court.

Le chirurgien s'inclina et murmura:

— Très honoré . . .

— Je vous répète, docteur, qu'il me faut la vérité entière. Pour moi, la question se ramène à ceci: le jeu en vaut-il la chandelle? Combien ai-je de chances d'en réchapper?

Elle vit qu'il hésitait et se leva. Elle ne ferait pas cette dépense. Mourir pour mourir, mieux valait ne pas laisser aux enfants une lourde note. Le jeune chirurgien comprit qu'il avait manqué de sang-froid. Il la savait très atteinte mais trouvait inconcevable que cette dame renonçât, par économie, fût-ce à une seule chance de guérison.

Elle boutonnait son gant et songeait:

« Ma décision est prise, je ne serai pas charcutée. » Elle ne se disait pas: « Je suis sûre de mourir, je vais mourir. » Son imagination demeurait en deçà du défilé vers les ténèbres [2] et se satisfaisait de cette double certitude: elle éviterait à la fois les affres et les frais d'une opération inutile: « Car même quand ils vous font un prix, on ne sait jamais jusqu'où ça vous entraîne. »

*

*   *

Elle prit une victoria dans une remise de la rue des Trois-Conils, la même qui avait trimbalé le désespoir de sa fille.

1 l'hôpital est impossible *i.e. because in France a hospital connotes charity.*
2 défilé vers les ténèbres *march toward death.*

La voiture roulait dans cette campagne grillée mais
où les premières brumes s'élevaient des prairies. Lucienne
Révolou commença de souffrir, chercha une position.
Pourrait-elle longtemps encore se donner les soins indis-
5 pensables? Qui faudrait-il avertir? Gêner le moins possible les enfants . . . Le sort de Julien dominait tout, mais
elle avait une idée pour Julien. Et Denis? Ce petit Denis,
si intimidant! Qu'il avait été mignon jusqu'à quatorze
ans! Elle se rappelait des mots de lui qu'elle avait rap-
10 portés bien des fois, toujours avec le même orgueil.
Presque un homme à présent: Rose assurait qu'il y avait
quelque chose entre lui et la petite Cavailhès. Mais
Lucienne était trop faible pour y arrêter sa pensée. En
se donnant tout entière à Julien, en se confinant dans
15 cette chambre, sans doute avait-elle obéi déjà à la nécessité, à cette exigence d'une créature blessée à mort et
qui réduit le champ de sa vie, se recroqueville. C'était
encore trop pour elle maintenant: il ne suffit pas de dire
oui à la mort pour qu'elle nous laisse en paix. La non-
20 résistance au mal ne sert de rien dans ce monde aveugle
de la chair, dans cet univers de cellules et de globules
qui obéissent à leur loi et ignorent la nôtre, car ils ne
sont pas nous.

Sur la petite route des communs, la voiture fut dépassée
25 par Irène et par Denis à bicyclette. Ils attendirent au
portail.

— Dis à ton père de venir me parler après dîner, dit
Mme Révolou à Irène. Je serai dans le cabinet de Monsieur.

Tandis que la voiture s'éloignait, les deux jeunes gens
30 échangèrent un regard. Ils marchaient côte à côte,
poussant devant eux leur bicyclette. Le soir tombait
vite.

Mme Révolou mettait de l'ordre dans la chambre de

Julien comme si elle n'eût pas entendu les reproches furieux qui venaient de l'alcôve: c'était intolérable qu'on eût laissé seul toute la journée un grand malade dans une chambre où il n'y avait même pas de sonnette. Quelles heures il avait vécu! Le jour où elle le retrouverait râlant comme son père . . . Il s'aperçut qu'elle s'était assise pour enlever son chapeau.

— Qu'est-ce que tu as? demanda-t-il.

Et comme elle se taisait:

— Tu fais exprès de m'inquiéter?

Elle se leva sans répondre, alla se laver les mains, traversa de nouveau la chambre en avertissant Julien qu'on allait lui monter son dîner et descendit à la salle à manger où Rose et Denis attendaient debout derrière leurs chaises. Ils s'assirent après elle selon un rite auquel ils n'avaient jamais manqué. Denis avala sa soupe avec une avidité de chien. Il avait pris de la carrure et des couleurs. Sa raie tenait à force de cosmétique. En apportant le laitage la petite bonne avertit Madame que Cavailhès attendait dans le cabinet de Monsieur. Lucienne vida un verre d'eau et se leva en s'appuyant des deux mains à la table.

— Prenez votre dessert, moi j'ai fini.

On n'entendit plus que le bruit de la cuillère dont Denis frappait régulièrement son assiette. Rose lui demanda s'il savait ce que voulait Cavailhès.

— C'est maman qui l'a fait appeler, répondit-il d'un air sournois.

Rose se leva, se dirigea vers le cabinet de son père, entendit derrière la porte la voix assourdie de Cavailhès, jeta une pèlerine sur ses épaules et s'enfonça dans le soir humide. Elle avançait au hasard, traînant son fardeau, rejetée de ces rivages où elle avait cru aborder, un soir d'exaltation et de larmes. De nouveau, la prière pour elle redevenait des mots, des phrases, des formules; et Dieu? Quatre lettres qui recouvrent on ne sait pas quoi; et Robert? Un garçon qu'elle avait d'abord attiré et qui ensuite l'avait prise en dégoût. Les êtres n'étaient plus que ce qu'ils sont réellement, les paroles n'avaient plus aucun sens au delà de leur signification littérale. Elle prit la petite allée qui conduisait au rond de tilleuls, s'assit sur le banc, appuya ses deux bras contre le dossier et sa tête dans les deux bras.

Elle se releva, rentra en hâte. Au moment où elle approchait du perron, sa mère parut avec une lampe, raccompagnant l'homme d'affaires.

— Attention aux marches, Cavailhès.

— Et que Madame suive mon conseil, qu'elle aille consulter la sorcière de Gazinet. Pour une pièce de cinq francs, elle en verra la farce. Ce n'est pas que je croie aux sorcières, mais je crois aux herbes.

— Je verrai, Cavailhès. Alors Maria viendra soigner M. Julien à partir de demain?

Madame pouvait être tranquille: il serait dorloté. Rose entendit sa mère crier: « Je vous ai bien donné les devis pour la toiture? » La jeune fille demeura dans l'ombre jusqu'à ce que Cavailhès se fût eloigné, puis se précipita dans le billard, persuadée que sa mère avait gagné sa chambre. Mais non, la vieille dame était assise près du guéridon, immobile à côté de la lampe qu'elle y avait posée.

— J'espère que tu n'as rien décidé sans mon avis? demanda Rose. J'ai voix au chapitre, il me semble. Ce serait tout de même un peu fort . . .

— Voyons, ma petite fille! rien ne sera conclu qu'avec ton consentement.

Il y avait longtemps que sa mère ne l'avait appelée
« ma petite fille ».

— C'est vrai que j'ai obtenu de Cavailhès que Maria
s'occupe désormais de Julien . . . Je suis très fatiguée,
ça ne paraît peut-être pas . . .

— Ils vont nous tenir par là, dit la jeune fille qui
suivait son idée, par des services de cet ordre, pour
réaliser leur projet . . .

— Tu les juges mal, le projet des Cavailhès est raisonnable. S'il prenait une hypothèque sur la propriété, on
ferait les réparations les plus urgentes. Cavailhès met-
trait tout ce qu'il avait de capitaux pour l'exploitation
intensive: vaches, cultures maraîchères.[1] C'est le meilleur régisseur du pays, un maraîcher, on ne peut douter
qu'il réussirait. Il va jusqu'à promettre de ne nous demander aucun intérêt les années où la propriété ne donnerait rien. Il dit que ta présence serait nécessaire ici, que
tu aurais la haute main sur tout: l'acte une fois signé,
tu quitterais Chardon . . .

— Pourquoi ne pas m'avoir avoué tout de suite que
tout était décidé? Pourquoi cette comédie? interrompit
Rose furieuse. Raison de plus pour moi de rester chez
Chardon; je veux mon indépendance. Au besoin, je
vivrai seule à Bordeaux . . .

— Rose, mon enfant, aie pitié de moi.

La jeune fille regarda sa mère qui ne lui avait jamais
adressé une telle parole, d'un tel accent.

— Les Cavailhès sont ce qu'ils sont, ma chérie. Ils
nous feront peut-être souffrir, toi surtout. Du moins
pourrez-vous vous appuyer sur eux. Tu es jeune, tu es
passionnée, c'est bien naturel. A moi, les choses appa-

1 cultures maraîchères *produce farming or market gardening.*

III

raissent sous un jour différent. Du point où je suis arrivée . . .

La vieille femme avait pris ce ton gémissant et puéril
que Rose détestait parce qu'il la confirmait dans cette
idée que « la pauvre maman était très diminuée ». Elle
se pencha pour un baiser qu'elle aurait voulu rapide mais
que sa mère, en lui mettant le bras autour du cou, pro-
longea plus que d'habitude.

14

Iᴌ paraît que cette pauvre Lucienne est bien fatiguée.
Lorsque Léonie Costadot jugeait une de ses connais-
sances très fatiguée, c'était le signe qu'on pouvait préparer les funérailles. Elle tenait beaucoup à avoir une
entrevue avec la pauvre Lucienne avant qu'il ne fût trop 5
tard. Au cours de cet hiver, elle fit tâter le terrain à
plusieurs reprises, mais n'obtint qu'aux premiers jours
d'avril la certitude d'être accueillie à Léognan. Sa
Delaunay-Belleville [1] monumentale l'y conduisit en
moins d'une heure. Le bruit du moteur tira Lucienne de 10
cet assoupissement où la morphine la tenait. Rose s'approcha de la fenêtre:
— C'est elle. Je l'introduis, et puis je vous laisse . . .
Il est au-dessus de mes forces . . .
— Pas plus de dix minutes ! supplia la malade. 15
— Tu n'as pas du tout mauvaise mine, proclama
Léonie, après un baiser rapide sur chacune des joues
couleur de pain bis.
Et comme Lucienne soupirait que ce serait très long:
— Il faut croire qu'on guérira, ma petite, il faut vou- 20
loir guérir. Tant qu'il y a de la vie . . . Mais au cas où
le bon Dieu te prendrait, je ne veux pas que tu partes sans
m'avoir pardonnée . . .
Lucienne dit dans un souffle:

1 Delaunay-Belleville *discontinued make of French automobile.*

— Tu as fait ton devoir, tu as agi comme tu devais.

— Oui, on se doit d'abord aux enfants, à leur patrimoine dont on est responsable . . . Si c'était à refaire, je le ferais, mais . . . J'ai toujours manqué d'onction, comme disait la mère de Langalerie au couvent, tu te rappelles?

La malade dit sans la regarder:

— Moi, ça ne compte pas. Mais ma petite Rose . . . elle ne vous avait rien fait, cria-t-elle tout à coup. C'est ton fils qui est venu la rechercher, après la catastrophe, pour la rejeter ensuite.

Elle souleva une tête terrible, où la mort creusait déjà deux trous noirs au-dessus de la bouche sans dentier.

— Va-t'en, Léonie.

Mais pas plus ce jour-là que le soir du bal Fredy-Dupont, Léonie ne partirait sans avoir obtenu ce qu'elle était venue chercher.

— Il faut d'abord que tu me pardonnes, insistait-elle, têtue. Le malheur est sur nous . . . Tu me demandes quel malheur? Je ne te parle pas de Gaston qui se ruine avec cette Lorati, qui finira par l'épouser, ni de Robert . . . Non, ça n'est rien . . . mais tu sais la folie que le petit vient de faire? . . . Oui, Pierrot . . .

— Il a écrit à Rose qu'il s'était engagé aux chasseurs d'Afrique . . .

— Mais pourquoi? Et parti sans m'avoir embrassée . . . J'ai commis le crime de l'émanciper: et voilà ce qu'il a fait de sa liberté ! Pouvez-vous me dire pourquoi? criait-elle, sans souci de la malade qui ne pouvait supporter les éclats de voix. Cet anarchiste, incapable de se soumettre à aucune autorité . . . Rose sait-elle?

Non, Pierrot avait donné simplement sa nouvelle adresse sans aucun commentaire. Rose entra:

114

— Il faut la laisser maintenant, Madame. Elle se fatigue très vite.

Léonie se pencha et en l'embrassant insista à voix basse:

— Tu me pardonnes? Dis? Hein? Dis?

Lucienne, de guerre lasse, inclina la tête, s'étendit sous ses draps, ferma les yeux: « Qu'elle s'en aille, songeait-elle, qu'elle s'en aille! »

— Elle ne va plus à Bordeaux, maintenant, ta petite Rose?

La malade retrouva sa voix bien timbrée pour répondre:

— Non, elle travaille ici, à la comptabilité . . . C'est devenu une affaire, une très grosse affaire. Nous avons des capitaux . . .

Léonie revint vers le lit et la questionna d'un air avide:

— On dit à Bordeaux que Denis va tous les matins au marché de première main?

— Deux fois par semaine seulement. Cavailhès, qui s'occupe des vaches et des légumes, compte le charger spécialement des fruits. La vigne est trop coûteuse à cultiver aux portes de la ville . . . Oui, une très grosse affaire, insista-t-elle. Mes enfants seront très, très à leur aise. Cinquante hectares entre quatre routes, aux portes de Bordeaux et en plein rendement: c'est quelque chose! Quand je pense à ce que nous devons aux Cavailhès . . . Un propre à rien aurait tout perdu.

Léonie avait déjà atteint la porte lorsqu'elle reçut cette flèche.

— Je lui ai servi son paquet, dit la malade avec une satisfaction profonde.

Elle ferma les yeux.

Les hannetons bourdonnaient autour des marronniers

roses et blancs. Léonie Costadot dit que ce serait une
année de vin. Rose promettait-elle de lui écrire, chaque
fois qu'elle recevrait une lettre de Pierrot? Il aurait sa
première permission pour les vendanges. Elle se hissa
5 avec peine dans la Delaunay dont l'échappement libre
sentit un instant plus fort que les lilas.

Ce fut le surlendemain de cette visite qu'elle eut sa
première petite attaque. Elle devait précéder d'un mois
dans la mort son amie Lucienne qui lui avait paru « si
10 fatiguée ». Seul Robert l'assista dans son agonie: jusqu'à
la fin elle ne lui parla que de Gaston et de Pierrot.

15

Tout le temps que dura la maladie de sa mère, et jusqu'au jour de décembre où elle s'éteignit, Julien en tant que malade, s'effaça. Il consentit à passer au second plan et à recevoir les soins intermittents de Maria Cavailhès. Dès qu'elle eut disparu, il rentra dans tous ses droits de grand malade. Bien qu'aucun organe ne fût atteint, il maigrit beaucoup, mais son état n'appelait pas de soins particuliers et Rose put, tout en le surveillant, s'occuper de ce qui était devenu la grande distraction de sa vie: la tenue des livres, une comptabilité chaque jour plus étendue qu'exigeait l'exploitation de Léognan.

Julien, sans jamais quitter sa chambre, et qui ne voyait guère en dehors de Maria Cavailhès que Louis Larpe (dont la présence chez les Révolou était le signe vivant de la prospérité revenue) lui récitait la chronique du domaine et ne lui cachait rien de ce qui touchait à la vie privée de Denis, toujours installé chez les Cavailhès. Il ne mettait pas en doute que Denis n'eût depuis longtemps déjà, une liaison avec Irène. Les Cavailhès attendaient que Denis eût vingt ans et que la menace du service militaire fût écartée pour exiger le mariage.

Rose feignait de ne pas croire à ces histoires de Julien qu'elle écoutait avec une irritation silencieuse. Comme Denis n'habitait pas le château, elle le voyait peu et toujours pour des questions de l'ordre le plus matériel. Le temps épaississait entre eux une atmosphère d'engourdissement. Denis, tout ensemble affairé et endormi, semblait dévoré par l'action, mais ainsi que l'est un somnambule.

Au début du printemps qui suivit la mort de leur mère, Julien eut à la lèvre un bouton auquel Rose n'attacha d'abord aucune importance. C'est le sort de cette race de malades qu'on prête peu d'attention à leurs plaintes. En quelques heures, ce pauvre Julien, aux lèvres si minces, eut une bouche pareille à un groin. Il souffrit beaucoup et avec un grand courage, avec une réelle dignité. La terreur qu'ils éprouvèrent d'une fin si soudaine fit croire à Denis et à Rose, pendant quelques heures, que leur peine était profonde. Au vrai, ils avaient senti passer le froid de leur propre néant.

Très tôt, Rose s'aperçut que ces rites funèbres renouvelés la laissaient dans un état d'indifférence dont elle avait souffert déjà devant le cercueil de ses parents, mais qui, cette fois, lui donna de la honte. Après trois années, elle se voyait enfin telle que l'avait recréée un garçon misérable, ce triste jour où une pluie d'orage ruisselait sur le jardin public. Longtemps, elle avait continué de faire les gestes d'une enfant tendre et passionnée, elle avait prié, offert sa vie; mais par la blessure mal fermée s'étaient épuisées à son insu cette tendresse et cette passion.

Trois années, pour atteindre à tant de sécheresse et de dénûment ! Trois années durant lesquelles il avait fallu vivre comme une servante de sa mère, puis de son frère aîné, sevrée de toutes joies, hors celle de voir revenir l'abondance dans la maison. Aux obsèques de Julien, lorsqu'elle vit, pour la première fois depuis trois ans,

Robert Costadot, elle ne ressentit rien qu'une curiosité douloureuse. Elle eut le loisir d'observer ses traits, un peu empâtés . . . La ligne des cheveux avait reculé, sans que le front en eût gagné quelque noblesse. « Voilà donc l'objet d'une telle souffrance, songeait-elle, c'est par 5 cela que j'ai été détruite. » Et elle ressentait de l'effroi et comme un étrange respect.

Au soir de ce jour-là, Rose demanda à Denis, qui avait consenti à dîner avec elle:

— Tu habiteras le château? Tu ne vas pas me laisser 10 seule?

Il répondit que c'était impossible.

— Il faut que je te l'avoue, Rose . . . Me pardonneras-tu? (Il parlait, la tête basse.) Nous sommes mariés, Irène et moi. Nous avons dû faire la chose en secret. Com- 15 prends-moi: elle attend un enfant . . . C'est pour le mois d'août.

Elle n'était pas surprise. Elle l'avait toujours su. Ses premières paroles furent calmes, mais elle se monta peu à peu. Il l'interrompit d'une voix humble pour défendre 20 les Cavailhès:

— Nous leur devons tout. Il y a trois ans, le père Ca-vailhès a risqué son avoir; les économies de toute sa vie étaient à la merci d'une gelée, d'un coup de grêle. Nous avons eu de la chance, c'est vrai . . . Tu as beau tenir les 25 livres, tu ne te rends pas compte de ce que Cavailhès a réalisé en trois ans . . .

Comme Rose gardait le silence, il ajouta sans lever la tête:

— Bien entendu, je ne t'imposerai pas la présence de 30 ma femme, nous continuerons d'habiter chez les Cavail-hès. Le château te reste hors part,[1] nous l'avons dé-

1 Le château . . . part *The château is yours, over and above your share.*

cidé . . . Non, tout de même! tu n'as pas cru que je t'obligerais à vivre avec Irène!

— Et toi, tu n'as pas cru que j'accepterais de vous laisser vivre avec votre enfant chez le régisseur? Oublie

5 ce premier mouvement, Denis: la place de ta femme est dans cette maison qui est assez vaste pour que nous y vivions tous sans nous heurter. Deux pièces me suffisent. Il répétait: « Non, c'est impossible, non, tu ne voudrais pas!» Et plus il protestait, et plus ce sacrifice

10 s'imposait à elle, et moins elle s'en effrayait. La pensée lui vint que ce serait Irène peut-être qui ferait des objections . . .

— Oh! s'écria Denis, en riant, les objections d'Irène! elle serait trop heureuse!

＊
＊　＊

15 Louis Larpe, en habit, ouvrit les deux battants de la porte: Mademoiselle était servie. Le frère et la sœur s'assirent face à face, dans la salle à manger solennelle qu'illuminait un feu de sarments. La vieille argenterie des Révolou brillait sur la nappe. Un rossignol chantait

20 dans les lilas qui avaient froid. Denis dit que c'était la lune rousse.[1] On brûlerait du goudron cette nuit, pour envelopper de fumée les vignes et les arbres à fruit. Il s'aperçut que Rose fixait avec intention la serviette dont il avait passé un coin dans son gilet, comme faisait Ca-

25 vailhès. Il rougit et la mit sur ses genoux. Quelles habitudes il avait prises! Elle lui répétait les observations de quand ils étaient enfants: « Ne frappe pas ton assiette avec ta cuiller . . . Denis, ton coude!»

Ils parlèrent de Julien, de leur père, de leur mère, avec

1 la lune rousse *the moon that brings frost; April moon.*

120

détachement, étonnés d'être seuls dans cette salle à manger où Oscar Révolou avait régné. Tous étaient morts. Le feu de sarments à demi-éteint n'était plus, dans l'âtre trop vaste, qu'une poignée de reptiles incandescents. Le printemps glacé entourait le frère et la 5 sœur de sa nuit redoutable. Parfois, l'un ou l'autre jetait un nom, comme celui de Pierre ou de Landin : et ils connurent qu'il n'existait plus entre eux de sujet interdit. Rose se leva :

— Je t'accompagne chez les Cavailhès, ce sera mieux 10 de ne pas attendre . . .

Comme il lui parut facile de se montrer généreuse ! Elle donnerait un baiser à Irène. Elle se sentait impatiente d'accomplir ce beau geste.

16

Mais oui, Irène, c'est à vous de régner sur la lingerie, maintenant.

Pour la première fois, Rose crut discerner une lueur sur cette figure rouge et maussade. Les piles de draps et
5 de serviettes, dans l'armoire énorme, éblouissaient la fille de Maria Cavailhès.

Rose renonçait donc à sa dernière prérogative. Elle le faisait d'un cœur léger: cela seul importait d'aller le plus loin possible dans la générosité à l'égard d'Irène.
10 Elle ne songeait pas à se demander pourquoi ces menus sacrifices lui coûtaient si peu: sans doute était-elle plus détachée qu'elle n'aurait cru.

— Voilà des draps qui ont été tissés sur la propriété, du temps de mon arrière-grand'mère, et de la vôtre,
15 Irène: elles filaient au coin de la même cheminée.

— Les Cavailhès sont une vieille famille, dit Irène.

— Une bonne et ancienne famille, insista Rose qui songeait: « Enfin, elle s'apprivoise ! »

La jeune femme prit les clefs, ferma l'armoire et com-
20 mença à dégrafer son corsage, en disant que le petit devait avoir faim.

— Mais, Irène, vous oubliez ce qu'a ordonné le doc-teur? Il faut donner à Paul un biberon d'eau de riz . . . Il avait encore un peu de diarrhée, ce matin.
25 — Pensez-vous que je vais le laisser dépérir !

— Denis sera très contrarié, protesta Rose. Avec ces chaleurs, c'est de la dernière imprudence.

Irène répondit aigrement qu'elle ne devait de comptes qu'à Denis.

— D'ailleurs, dès demain, je commencerai à donner de 5 la soupe à Paul, ajouta-t-elle d'un air de bravade.

Et comme Rose, furieuse, criait: « C'est ce que nous verrons ! » Irène demanda:

— C'est mon petit ou c'est le vôtre?

— C'est le fils de Denis, c'est un Révolou, et je ne 10 permettrai pas . . .

Irène sortit en faisant claquer la porte. Rose hésita un instant au milieu de la lingerie où régnait une chaleur accablante. Non, elle n'aurait pas la patience d'attendre Denis: elle irait en tramway, à Bordeaux, et le trouverait 15 au club de tennis où il se délassait quelques instants à la sortie du bureau (*la ferme de Léognan* avait, depuis peu, un entrepôt et des bureaux, cours Saint-Jean). Denis la ramènerait dans sa Darracq.[1] Il faudrait trouver une nurse dès cette semaine: il y allait de la santé du petit, peut- 20 être de sa vie.

Rose, dans sa chambre, prit un chapeau de paille qui lui faisait une tête toute petite. Elle s'approcha de la glace. Portait-elle un deuil suffisant? Le blanc de cette robe n'était pas assez mat. Elle enleva le bouton de rose 25 qu'elle avait mis à sa ceinture. La chaleur ne lui faisait pas peur. Elle attendit le tramway sous un ciel blême, à la même place où, autrefois, elle le guettait dans les aubes sombres. Une seule cigale grinçait contre un orme poussiéreux dont presque toutes les feuilles étaient tom- 30 bées. Bien avant que le tramway ne fût en vue, elle l'entendit.

1 Darracq *discontinued make of French automobile.*

Il y avait dans son sac, depuis la veille, une lettre de Pierre Costadot, qu'elle avait négligé d'ouvrir: Elle déchira l'enveloppe, lut quelques lignes: « Cinquante degrés . . .[1] cela te paraît incroyable? Je les supporte
5 sans trop de peine. Un grand silence règne autour de moi pendant que je t'écris. Pourtant, personne ne dort . . . » Elle tourna la page: « Ce que je te raconte, doit te paraître idiot: je suis heureux et je souffre. Personne ici à qui me confier, bien que les hommes qui m'entourent m'aiment
10 et soient capables de cette bonté qui s'ignore, qui va de soi . . . Je suis le plus faible, alors, ils font tout pour m'aider . . . »

Rose remit la lettre dans son sac et poudra ses joues brûlantes. Il était six heures, mais les flèches du soleil
15 déclinant la brûlaient à travers les stores de toile. Elle descendit du tramway et prit une voiture qui la mena au club. L'ombrelle ouverte l'aidait à dissimuler son visage. Mais Denis la reconnut, se détacha d'un groupe et vint à elle. Il n'avait pas encore commencé de jouer,
20 et lui proposa de partir: ils auraient le temps de rouler un peu, à la fraîcheur.

Elle hésita à parler du bureau de placement et de la nurse. Mieux valait ne pas irriter Denis. Il ne s'était pas rhabillé et avait gardé ses pantalons blancs, des espa-
25 drilles. Au volant sa figure était étrange d'inexpression. Ses yeux de chouette regardaient dans l'éternel.[2] Il ne parlait pas. Elle n'avait pas peur, bien qu'il eût l'air de conduire endormi.

— Il faut rentrer, Denis. Nous serons en retard pour
30 dîner.

— Je prendrai le raccourci de Marcheprime.

1 cinquante degrés (*Centigrade*) *about 122 degrees Fahrenheit.*
2 Ses yeux . . . l'éternel *His owl's eyes peered into space.*

Devant la porte, éclairée par une lampe de jardin, Cavailhès et Maria mangeaient la soupe.

— Je viens dîner avec vous, dit Irène. Ils ne sont pas rentrés.

— Attends-les. Ce ne serait pas poli.

Elle secoua la tête: elle prendrait de la soupe, ferait téter Bébé, et se coucherait. Maria se leva pour chercher une assiette, et la servit. Ils avaient une bonne, mais Cavailhès ne pouvait pas manger quand cette fille tournait autour de la table.

*
* *

La nuit était depuis longtemps venue, lorsque Irène vit la lueur des phares éclairer brièvement chaque arbre sur la route des communs. Elle acheva de se déshabiller, en hâte, dans l'obscurité, et fit semblant de dormir quand Denis entra.

— Tu dors, Irène? Tu es souffrante?

Elle ne répondit rien. Il ajouta:

— La chaleur est terrible, ce soir . . . Je coucherai sur le divan, dans mon cabinet . . .

Il prit son pyjama. Puis il gagna la salle à manger. Louis Larpe, en habit comme au cœur de l'hiver, attendait derrière la chaise de Rose.

— J'ai enlevé un couvert, dit-il.

Il ne se fût jamais résigné à dire: le couvert de Madame.

Rose entra, elle avait changé de robe. Le vin blanc était sec et froid, le parfum du melon emplissait la salle où se cognaient des phalènes qu'on ne voyait pas. L'orage faiblement grondait.

— Paul va mieux, mais elle le nourrit trop. Elle n'a pas voulu le mettre à l'eau de riz . . .

— Ah ! j'oubliais de te dire . . . J'ai vu Louise Piffe-
teau au club, elle n'a plus besoin de sa nurse; il paraît
que c'est une perfection. Elle doit nous l'envoyer cette
semaine. Nous mettrons Irène devant le fait accompli.

*

*   *

5   Rose écoutait la pluie sur les feuilles. Quel bonheur
que cette pluie sans orage et sans grêle ! Paul irait mieux
dès la fin de ces chaleurs accablantes et surtout dès qu'il
échapperait aux habitudes paysannes de sa mère . . .
Rose aurait-elle pu tenir davantage à son propre fils?
10   Son fils n'aurait pas été un Révolou. Il n'aurait pas
porté le nom. C'était étrange qu'elle attachât de l'importance à ces choses, tout à coup . . . Elle rêvait, à
demi endormie; une formule, lue elle ne savait où, traversa son esprit: « Sacrifier la mère pour sauver l'en-
15   fant . . . » Quand il pleuvait la nuit, elle pensait aux
morts, mais non pour les plaindre; elle regrettait que les
siens fussent à l'abri d'un caveau [1] et n'aient pas le
privilège de ceux qui, ayant été pauvres en ce monde,
sont unis aux entrailles de la terre et reçoivent l'eau du
20   ciel à travers l'herbe, les racines, le sable.

— Tu ne l'as pas préparée à accueillir la nurse? demanda Denis, le lendemain soir, comme il descendait de
l'auto.
Rose répondit qu'elle n'avait pas vu sa belle-sœur:
25   Irène s'était fait servir dans sa chambre:
— Mais j'ai demandé à sa mère de lui en parler. Je
n'ai pas eu de peine à la convaincre: Maria reconnaît

1 elle . . . caveau *she was sorry that her people were buried in a vault,*
i.e. above ground.

qu'Irène est sans expérience et ne tient compte d'aucun conseil.

Irène arriva un peu en retard à table, elle avait les yeux rouges et gonflés. Le frère et la sœur parlaient de personnes qu'elle ne connaissait pas. Comme son assiette restait vide, Rose lui demanda si elle était souffrante:

— Il faut vous forcer un peu, à cause du petit . . .

La jeune femme éclata en sanglots et quitta la salle à manger. Rose fit signe à Denis de la suivre. Il se leva l'air excédé. Enfin la crise était commencée, songeait-elle. On en sortirait, tout rentrerait dans l'ordre. Comme son frère ne descendait pas, elle gagna l'escalier et entendit depuis le palier du premier étage des paroles entrecoupées de hoquets:

— Je l'accepterais, cette nurse, tu sais bien que ce n'est pas pour ça que je pleure . . . Je ferai tout ce que tu voudras, toi, mais pas ta sœur . . . Pourquoi qu'elle ne fait pas sa vie? [1] Elle ne pourrait pas se marier comme les autres, au lieu de rester ici à te monter contre moi?

La voix de Denis s'éleva, curieusement paisible, pour des exhortations à la sagesse, au calme. Comme les invectives redoublaient, Rose descendit, alla sur le perron et y demeura debout, appuyée au mur.

— Tu es là, Rose?

Elle reconnut l'odeur familière du tabac. Denis disait:

— Elle est calme, maintenant. J'ai remarqué qu'elle dort comme une bête quand elle a beaucoup pleuré. Il fallait qu'il y eût cette crise . . . un équilibre finira par s'établir. Au fond, c'est une affaire d'éducation. Le manque d'éducation première l'entraîne à ces éclats atroces. C'est sans importance pour toi, pour moi. Ça

1 Pourquoi . . . vie? *Why doesn't she live her own life?*

127

se passe ailleurs, sur un autre plan . . . Qu'il m'est
facile de m'en évader ! Et à toi aussi, je suis sûr?

*
*   *

La vie de la plupart des hommes est un chemin mort
et ne mène à rien. Mais d'autres savent, dès l'enfance,
5 qu'ils vont vers une mer inconnue. Déjà l'amertume du
vent les étonne; déjà le goût du sel est sur leurs lèvres
— jusqu'à ce que, la dernière dune franchie, cette passion infinie les soufflette de sable et d'écume. Il reste de
s'y abîmer ou de revenir sur ses pas.

*
*   *

10   Rose s'assit sur son lit et ne bougea plus.
Quelques gouttes larges et espacées frappaient le zinc
du toit. Elle emporterait seulement sa trousse de vermeil [1] et achèterait à Bordeaux le linge nécessaire. On
lui expédierait ses vêtements à une adresse qu'elle avait
15 bien le temps de choisir. L'important, c'était de n'être
plus là. « Fuir, n'être plus là, fuir . . . » Denis recevrait
au bureau une lettre rassurante où il ne serait question
que d'une absence courte. Elle s'était éloignée infiniment
du chemin entrevu trois années plus tôt, le soir du
20 premier échec de Denis . . . Rien ne lui était connu de
son existence future, mais il fallait retrouver ce chemin.
Elle n'aurait su dire si elle priait; pourtant ce devait
être sa prière qui, devant elle, éclairait les actes à accomplir dans le moment même. Son esprit ne s'attachait qu'à
25 l'immédiat. Elle savait qu'elle descendrait un peu avant

1 trousse de vermeil *silver-gilt case containing toilet articles.*

128

six heures, qu'elle suivrait la petite route des communs, qu'elle entendrait le tramway bien avant qu'il n'apparût. Sans doute faisait-il jour à six heures et, à moins qu'il n'y eût un brouillard épais, elle ne verrait pas grossir le phare, l'œil de cyclope. Mais, en elle, cet œil énorme brûlait comme dans les aubes noires d'autrefois.

QUESTIONS

PREMIÈRE LEÇON[1] (pp. xii–7)

1. Qui est l'auteur de ce roman?
2. Quels sont les titres de quelques autres de ses romans?
3. Dans quelle ville se passe l'action de la plupart de ses romans?
4. Quand et où est né l'auteur de *Les Chemins de la mer?*
5. Quand a-t-il publié *Les Chemins de la mer?*
6. Que faisait Denis tout en étudiant son cours de psychologie?
7. Qui était le coiffeur de Mme Révolou et de Rose?
8. Où est la robe de Rose?
9. Comment s'appelait le fiancé de Rose?
10. Qui mettait « des bâtons dans les roues » en parlant du mariage de Rose et de Robert?
11. Selon Mme Révolou, qu'est-ce que Rose ne devait pas manger?
12. Pourquoi Rose a-t-elle commencé à sangloter?
13. Comment s'appelait le maître d'hôtel?
14. Quelle heure était-il quand Landin est entré?
15. Avec qui Landin voulait-il parler?
16. Quelle sorte d'homme était Landin?
17. A quelle distance des barrières de la ville se trouvait Léognan?
18. Où est-ce que Landin et Oscar Révolou avaient fait connaissance?
19. Quel bruit Denis a-t-il entendu?
20. Qui a ouvert la porte à Léonie Costadot?

---

[1] For the convenience of classes, these questions are grouped by *leçons* involving approximately equal portions of the text, rather than by the chapters, which vary considerably in length.

DEUXIÈME LEÇON (pp. 8-14)

1. Où est-ce que Denis et Rose sont allés?
2. Selon Rose, pourquoi Mme Costadot était-elle venue?
3. De quoi Mme Costadot a-t-elle commencé à parler?
4. Qu'est-ce que Mme Costadot est venue chercher?
5. Qui était la Lorati?
6. Selon Mme Costadot, où M. Révolou voulait-il aller avec la Lorati?
7. Comment Mme Costadot savait-elle toutes ces choses-là?
8. Où se trouvait Julien Révolou à cette heure-là?
9. Où était la Lorati? Avec qui?
10. Pourquoi Mme Révolou devait-elle signer?
11. Pourquoi Mme Révolou devait-elle aller à Léognan?
12. Quelle question Mme Costadot a-t-elle posée à Mme Révolou?
13. Où est-ce que Mme Costadot est allée après avoir quitté son amie?
14. Comment s'appelait le fils aîné de Mme Costadot?
15. Comment s'appelaient les deux autres fils de Mme Costadot?

TROISIÈME LEÇON (pp. 15-21)

1. Quelle opinion Mme Costadot avait-elle de son fils Pierrot?
2. Lequel de ses trois fils était à la maison?
3. Où était Robert Costadot?
4. Quel texte voyait Mme Costadot sur la table de Pierrot?
5. Qu'est-ce que Pierrot voulait savoir?
6. Qu'est-ce que Mme Costadot appelait son « devoir »?
7. Pourquoi Robert Costadot a-t-il couru à la maison Révolou?
8. Comment Mme Costadot a-t-elle pu obtenir les 400.000 francs?
9. Pourquoi Mme Costadot s'irritait-elle contre Pierrot?

10. De quelle façon Robert était-il vêtu?
11. A l'entrée de Pierrot en pyjama, qu'est-ce que sa mère lui dit?
12. Pourquoi Pierre est-il fâché contre sa mère?
13. Quelle était l'attitude des deux frères vis-à-vis de leur mère?
14. Est-ce que Denis avait été présent à l'entrevue entre les deux femmes?
15. Pourquoi Mme Costadot avait-elle fait signer Mme Révolou?

QUATRIÈME LEÇON (pp. 22–28)

1. Pourquoi l'argent de leurs ancêtres devait-il sembler sacré?
2. Pour quelle raison Mme Costadot appelait-elle Pierrot « un petit imbécile »?
3. Pourquoi Robert croit-il que Pierre est différent des autres?
4. Que voulait dire Robert par « j'ai tout perdu, moi ! »?
5. Où est-ce que Robert voulait vivre après son mariage?
6. Qu'est-ce que sa mère en dit?
7. Qu'est-ce que Pierre dit de l'argent?
8. Selon Pierre, quelle est la substance du monde?
9. Pour échapper au pouvoir de l'argent, que faudrait-il faire?
10. Que répond Robert?
11. Quelle question Pierre pose-t-il à son frère?
12. Pourquoi Mme Révolou pleurait-elle?
13. Qu'est-ce que les camarades de Julien lui avaient dit?
14. Que dit Mme Révolou de son mari?
15. Où est-ce qu'ils allaient tous dans le landau?

CINQUIÈME LEÇON (pp. 29–36)

1. A quoi le bruit des roues était-il associé dans l'esprit de Denis?

133

2. Quelle pensée glaçait d'horreur le pauvre jeune homme?
3. Qui guettait leur arrivée?
4. Qu'est-ce que Cavailhès a dit à Julien?
5. Que disait Maria tout en renouvelant les compresses sur le front de Denis?
6. A quoi songeait Denis?
7. Où est-ce qu'on avait mis Denis?
8. Qu'est-ce qu'il y avait dans la chambre où Denis était couché?
9. A quelle heure Denis s'est-il levé?
10. Quel temps faisait-il?
11. Quel son sortait du cabinet de son père?
12. Quels sont les sentiments de Denis envers son père?
13. Qui était dans le cabinet quand Denis y est entré?
14. Qu'est-ce que M. Landin lui a dit?
15. Comment Julien accepte-t-il sa responsabilité?

SIXIÈME LEÇON (pp. 37–44)

1. Selon Julien, quelle place occupait dans la société le fils Révolou?
2. Qu'est-ce que Julien a l'intention de faire?
3. Quelles sont les pensées de Léonie, restée seule?
4. Que veut-elle dire par « les partages »?
5. Est-ce que Léonie accepte la responsabilité de la mort de Révolou?
6. Comment les deux garçons reçoivent-ils la nouvelle des partages?
7. Quelle question lui pose Pierrot?
8. De quelle expression se sert Léonie pour décrire le mariage de Robert?
9. Veut-elle que Robert aille à Léognan? Pourquoi pas?
10. Que dit-elle enfin à ses deux fils?
11. Quelle est leur réaction?

12. Quel don Pierre offre-t-il à son frère pour faciliter son mariage?
13. Quel projet formait Pierre?
14. Qu'est-ce qui se passait chez les Révolou?
15. Comment la campagne a-t-elle semblé à Denis?

SEPTIÈME LEÇON (pp. 45–51)

1. Comment Denis passait-il le temps?
2. Qu'est-ce que Rose attendait?
3. Qui est venu à bicyclette pour rendre visite à Denis?
4. Quels sont les premiers mots de Pierrot?
5. Denis accepte-t-il les excuses de Pierre?
6. En somme, quelle est l'attitude de Denis?
7. Quel titre Pierre avait-il donné à son poème?
8. Denis admire-t-il le poème de Pierre?
9. Qu'est-ce que c'est que « faire des gorges chaudes »?
10. Qui devait rentrer par le tram?
11. Qu'est-ce que Mme Révolou pense de la situation de sa fille?
12. Pourquoi ne veut-elle pas que sa fille travaille?
13. Pourquoi demande-t-on le conseil de Julien?
14. A quoi la tête de Julien ressemble-t-elle?
15. Qu'est-ce que Rose lui dit?

HUITIÈME LEÇON (pp. 51–58)

1. Comment répond Julien aux questions de sa mère?
2. Que dit-il enfin?
3. Qu'est-ce que Mme Révolou s'est décidée à faire?
4. Est-ce que les fils Révolou aimaient Landin?
5. Quels étaient les sentiments de Landin au moment de quitter l'étude pour jamais?
6. Quelles étaient ses réflexions à propos de son maître?
7. Est-ce qu'il savait les sentiments des Révolou à son égard?

8. Pourquoi Rose s'éveilla-t-elle en sursaut?
9. Quels étaient ses projets pour l'avenir?
10. Comment trouva-t-elle le cabinet de son père?
11. Qu'est-ce qu'elle regardait grossir dans le brouillard?
12. A quelles odeurs avait-elle été accoutumée avant la mort de son père?
13. Comment l'existence des Révolou s'organisait-elle?
14. Quelle question Denis posait-il à sa sœur?
15. Quel événement se produisait-il dans la vie de Julien?

NEUVIÈME LEÇON (pp. 59–66)

1. De quoi le petit Costadot a-t-il commencé à parler dès son arrivée?
2. Quelle opinion offre-t-il sur sa mère?
3. Quelle nouvelle le petit Costadot annonce-t-il à Denis?
4. Pourquoi Denis n'est-il pas content de savoir que Robert et Rose se voient souvent?
5. Comment Denis blesse-t-il son ami Pierre?
6. Pour quelle raison Denis hait-il Pierre?
7. Où est-ce que Rose et Robert se rencontraient?
8. Qu'est-ce que Mme Costadot avait dit au sujet de la figure de Rose?
9. Pourquoi Robert se sentait-il déçu à la vue de Rose?
10. Est-ce qu'elle notait l'impression qu'elle faisait sur Robert?
11. Pourquoi pas?
12. Où est-ce qu'ils prenaient leur déjeuner?
13. Pour Rose quel était le seul luxe qui comptait?
14. Décrivez les sentiments de Rose dans le tram.
15. Est-ce que Mme Costadot semble résignée au mariage?

DIXIÈME LEÇON (pp. 67–73)

1. A quelle heure les jeunes gens prirent-ils le tram?
2. Quelle était la pensée de Robert?

3. Quels renseignements Denis donne-t-il à Robert au sujet du château?
4. Quelle était la surprise que Mme Révolou avait préparée?
5. Quelles questions Julien pose-t-il à Robert?
6. Que dit Mme Révolou à propos du château?
7. Quelle était l'attitude de Robert à propos du château?
8. Comment Julien explique-t-il son apparition à table?
9. Où est-ce que Denis s'installe?
10. Dans quel état se trouve le plafond dans la chambre de Julien?
11. De quoi Denis, Julien et leur mère parlent-ils?
12. Qu'est-ce qu'ils ont l'intention de dire à Robert?
13. Où est-ce que les fiancés étaient allés?
14. Où est-ce qu'ils vont tous le lendemain?
15. Est-ce que les gens remarquèrent la présence de Robert dans l'église?

ONZIÈME LEÇON (pp. 74–80)

1. Qui avait révélé le secret des fiancés?
2. Quelle observation Denis fait-il à Robert?
3. Que faisait Robert dans l'omnibus?
4. Quel temps faisait-il ce jour-là?
5. Avec qui se promenait Rose après le départ de Robert?
6. Pourquoi ne fallait-il pas parler à Robert de Léognan?
7. Qu'est-ce qu'il proposait de faire des Cavailhès?
8. Selon Denis qui va gêner la paix de la maison?
9. Quelle question Rose pose-t-elle à Denis à propos de Pierrot?
10. Décrivez la scène le même soir chez les Costadot.
11. Quels sont les sentiments de Mme Costadot envers Rose?
12. Quelles sont les insinuations de Mme Costadot?
13. Que dit Robert de Rose après avoir écouté les critiques de sa mère?

137

14. Robert aime-t-il toujours Rose?

15. Selon Mme Costadot pourquoi ne veut-elle pas ce mariage?

DOUZIÈME LEÇON (pp. 80–87)

1. Que dit Robert pour prouver à sa mère qu'il a toujours l'intention d'épouser Rose?
2. Où est-ce que Rose devait rencontrer Robert?
3. Que faisait-il en attendant?
4. Quel reproche Robert fait-il à Rose?
5. Comment se défend-elle?
6. Pourquoi pleurait-elle?
7. Comment explique-t-elle son désordre?
8. Que dit Robert?
9. Où veut-il l'emmener?
10. Quels mots cruels sortent tout à coup de la bouche de Robert?
11. Quelles étaient les pensées de Robert pendant que Rose souffrait?
12. Quels sont les propos de Rose?
13. Que dit Robert au sujet de Léognan?
14. Qu'est-ce que Robert attendait?
15. Comment voyait-elle enfin Robert?

TREIZIÈME LEÇON (pp. 88–95)

1. D'où venait Mme Costadot?
2. Est-ce qu'elle a accompagné Rose jusqu'à la rue?
3. Qu'est-ce que Mme Costadot a dit à son fils?
4. A-t-elle accepté le renvoi de Rose?
5. Qu'a-t-elle dit?
6. Pourquoi Robert craignait-il la réaction de Pierrot?
7. Quelle était la pensée de Mme Costadot?
8. Où est-ce que Pierrot a dîné?

9. Par quelle rue remontait-il?
10. Où est-ce qu'il a rencontré Rose?
11. Par quel moyen de transport sont-ils revenus à Léognan?
12. Comment Rose a-t-elle raconté son histoire à Pierrot?
13. Quelle espérance lui a-t-il offerte?
14. Qui est-ce qui les attendait?
15. Comment Rose a-t-elle expliqué la querelle avec Robert?

QUATORZIÈME LEÇON (pp. 96–104)

1. Quels mots dit Denis à Pierrot?
2. Comment se quittent-ils?
3. Quelles sont les intentions de Rose?
4. Pourquoi Denis ne comptait-il plus pour Rose?
5. Est-ce que Pierrot a trouvé Robert dans sa chambre?
6. Comment Robert trouve-t-il Pierre?
7. Quelle histoire lui raconte Pierre?
8. Comment lui répond Robert?
9. Comment Robert se voyait-il?
10. Est-ce qu'il se défend?
11. Que répond Pierre?
12. Est-ce que Denis a été reçu au baccalauréat?
13. Comment Rose l'a-t-elle consolé?
14. Comment Mme Révolou a-t-elle accepté l'échec de Denis?
15. Quels sont les sentiments de Denis?

QUINZIÈME LEÇON (pp. 104–113)

1. Quelle lettre Rose relisait-elle tant de fois?
2. Qu'est-ce que Robert lui avait écrit?
3. Quel conseil le chirurgien donnait-il à Mme Révolou?
4. Pourquoi n'acceptait-elle pas d'aller à l'hôpital?
5. Quel était le plus grand souci de Mme Révolou?
6. Quelles étaient ses pensées?
7. Avec qui Denis se trouvait-il?

8. Que dit Julien à l'entrée de sa mère?
9. Est-ce que Mme Révolou avait faim ce soir-là?
10. Où est-ce que Rose est allée après dîner?
11. Quel conseil Cavailhès donne-t-il à Mme Révolou?
12. Que pense Mme Révolou des projets de Cavailhès?
13. Pourquoi Rose ne voit-elle pas la souffrance de sa mère?
14. Qui est-ce qui voulait voir Mme Révolou?
15. Qui l'a introduite chez elle?

SEIZIÈME LEÇON (pp. 113–120)

1. Quelle opinion Mme Costadot exprime-t-elle au sujet de la santé de son amie?
2. Que répond Mme Révolou?
3. Où se trouve Pierrot actuellement?
4. Comment le savons-nous?
5. De quoi Denis est-il occupé?
6. Quelle satisfaction y a-t-il pour Mme Révolou dans cette conversation avec Mme Costadot?
7. Laquelle est morte la première?
8. Qui est-ce qui soignait Julien après la mort de sa mère?
9. De quoi la présence de Louis Larpe était-elle le signe?
10. Comment est-ce que cette prospérité avait été acquise?
11. Comment Julien est-il mort?
12. Combien d'années avaient passé depuis la mort du père Révolou?
13. Quelle nouvelle Denis annonce-t-il à sa sœur?
14. Quelle offre sa sœur lui fait-elle?
15. Quelles habitudes Denis a-t-il prises chez les Cavailhès?

DIX-SEPTIÈME LEÇON (pp. 121–129)

1. Comment Rose montrerait-elle qu'elle acceptait Irène comme belle-sœur?
2. A quelles prérogatives Rose renonçait-elle?

3. Pourquoi Irène et Rose se trouvent-elles fâchées l'une contre l'autre?

4. Où est-ce que Rose comptait trouver Denis?

5. Quelles nouvelles Pierre annonce-t-il dans sa lettre à Rose?

6. A quelle heure est-elle arrivée au club?

7. Comment Denis était-il vêtu?

8. Avec qui Irène dîne-t-elle?

9. Est-ce que Irène répond à Denis quand il lui parle?

10. Avec qui Denis dîne-t-il?

11. De quoi sa sœur lui parle-t-elle?

12. Quelles idées se fait Rose au sujet d'Irène?

13. Quelles sont les plaintes d'Irène contre Rose?

14. Que dit Denis à son retour à table?

15. Comment Mauriac finit-il le roman?

VOCABULARY

A

à: — demain goodbye, until to-morrow

abandonner to abandon, forsake; **s'**— à give way to

abeille *f.* bee

abîme *m.* depth, abyss

abîmer to ruin, spoil; **s'**— to bury oneself, sink

abois: aux — at one's wit's end, at bay

abondance *f.* abundance, fullness, affluence

abord: d'— at first, in the first place; **tout d'**— from the very first

aborder to approach, broach

aboutir to join, meet; come out (at)

abri *m.* shelter, cover; à l'— under cover, in a safe place; à l'— de safe from

absent absent, absent-minded, ex-pressionless

absolu absolute

accablant crushing, stifling

accabler to crush, overcome, stifle

accent *m.* accent, emphasis

accepter to accept, consent, agree

accompagner to accompany

accompli: fait — accomplished fact

accomplir to accomplish, complete; **s'**— to be carried out

accord *m.* agreement; **d'**— in agree-ment, agreed

accorder: s'— to agree, be suited to

accouder (s') to lean on (one's) elbows

accrocher to hook, hang on; **s'**— to hang on to, cling to

accueillir to receive, welcome, ac-cept

accumuler to accumulate

acharnement *m.* anger, brutality

acharner to set upon; **s'**— to at-tack brutally

acheter to buy, purchase

achever to finish, perfect, achieve

acquérir to acquire

acte *m.* act, deed, legal document; **faire** — to acknowledge

action *f.* action, lawsuit

actuellement at present

adieu farewell, goodbye

admettre to admit, allow

admirer to admire, appreciate

admissible acceptable, accepted or passed (*in an examination*)

adorer to adore, love

adoucir to become sweet, soften

adresse *f.* address

adresser to address, direct; **s'**— à to speak to

advenir to come to, happen

aérer to air

affaire *f.* affair, thing, matter, busi-ness; **homme d'**—s agent, busi-ness manager

affairé busy

affecter to affect, pretend

affiche *f.* poster, announcement

affolement *m.* terror, fright

affre *f.* suffering, pain
affreu-x, -se terrible, frightful
affronter to meet, confront
affût *m.* ambush
afin: — **de** in order to; — **que** in order that
Afrique *f.* Africa
agacement *m.* annoyance, irritation
agacer to annoy, bother
âge *m.* age, years
âgé aged, old
agencé gotten up, imagined
aggraver to make worse, aggravate
agir to act; **faire** — cause to act; **s'** — **de** be a question of, be a matter of
agiter to agitate, stir, move, wave, shake
agonie *f.* deathbed, last hour
agrafe *f.* snap, hook (*of a dress*)
agréable agreeable
aider to help, aid
aigle *m.* eagle; master mind
aigre sour, harsh
aigrement harshly, bitterly
aile *f.* wing, sail; — **du nez** side of the nose
ailleurs elsewhere; **d'** — besides, moreover
aimable amiable, lovable
aimer to love, like; — **mieux** prefer
aîné elder, eldest, senior
ainsi thus, so, therefore; — **que** as
air *m.* air, look, appearance; **avoir l'** — to seem, have the appearance
aise *f.* ease, comfort; **à l'** — at ease, comfortable, rich
ajouter to add, join
alcôve *f.* alcove, bedroom
alentours *m. pl.* neighborhood
alerter to warn

aligner to align, line up
alimenter to feed, provide **for,** make a living for, support
allée *f.* lane, walk; **—s et venues** goings and comings
aller to go; feel; fit, be becoming to; **s'en** — to go away; fall apart; **allons!** come! now then! **allons bon!** come on now! **y** — **de** to be at stake
allonal *m.* allonal (*a sedative*)
allumer to light, set on fire
alors then, at that time; — **que** while
altérer to change
amant *m.* lover
amasser to amass, gather together
ambre *m.* amber, perfume
âme *f.* soul, spirit, mind
amener to lead, induce, bring
am-er, -ère bitter, acrid
Amérique *f.* America; — **du Sud** South America
amertume *f.* bitterness
ami *m.* friend; — **de** fond of
ami friendly, kind
amie *f.* friend; **en —s** as friends, amicably
amitié *f.* friendship
amour *m.* love, passion
amoureu-x, -se *m. and f.* lover
amusant amusing, interesting
amuser to amuse, entertain; **s'** — **to** have a good time
an *m.* year
anarchiste *m.* anarchist
ancêtre *m. and f.* ancestor
ancien, -ne ancient, old, former; **en** — in an old style, with antiques
anéantir to prostrate, crush
angélique angelic, angelical
anglais English

angle *m.* angle, corner, turn

angoisse *f.* anguish, pain, sorrow, sickness

anguille *f.* eel

anneau *m.* ring, circle, link

année *f.* year

annoncer to announce, declare, advertise

annoncia-teur, -trice forewarning

annonciatrice *f.* herald, announcer

anxieu-x, -se anxious, worried

août *m.* August

apaiser to appease, pacify

apercevoir to perceive, see, notice, observe; s'— de notice

aperçu *m.* appraisal, estimate

aplatir to flatten

apparaître to appear

apparence *f.* appearance, looks

apparent apparent, outward

apparition *f.* appearance

appartenir to belong to, appertain

appel *m.* call, summons

appeler to call, summon, call forth; s'— to be called, be named

appétit *m.* appetite

appliquer to apply; s'— to busy oneself

apporter to bring, supply

apprendre to learn, study, acquire, hear of; inform, teach

apprivoiser to tame; s'— to become tame

approche *f.* approach

approcher to approach, come near; bring near; s' — de to approach, come near

approuver to approve, agree

approximati-f, -ve approximate

appui *m.* support, window sill

appuyer (s') to rest, lean upon

après after; d'— according to; — que after

après-demain day after tomorrow

après-midi *m. or f.* afternoon

araignée *f.*: toile d'— spider web

arbre *m.* tree; — à fruit fruit tree

ardemment ardently, warmly

ardeur *f.* heat, fervor, enthusiasm

argent *m.* silver, money

argenterie *f.* silverware

armagnac *m.* a brandy

arme *f.* arm, weapon

armer to arm, provide

armoire *f.* wardrobe, cupboard

arracher to tear away, pull out

arranger to arrange

arrêter to stop, pause, arrest, settle; s'— to stop

arrière behind; en — backwards, behind

arrière-boutique *f.* back shop

arrière-grand'mère *f* great-grand-mother

arrière-pensée *f.* mental reservation

arrivée *f.* arrival

arriver to arrive, enter, manage, happen

arrondir to round off

arrosage *m.* watering, irrigation

arroser to water, sprinkle, wash down

aspect *m.* aspect, view, appearance

assassiner to kill, assassinate

asseoir to seat; s'— to be seated, sit down

asservir to enslave, bind

assez rather, quite, enough

assiette *f.* plate, dish

assis seated

assistance *f.* attendance, audience

assister to be present, attend

associer to associate, connect

assombri dark

assombrir to shade, shadow, darken

assommer to overcome
assoupissement *m.* drowsiness, lethargy
assourdi low, muffled
assouvir to satisfy, satiate
assurance *f.* insurance
assurer to assure, confirm
astrakan *m.* lamb's fur
astre *m.* star
âtre *m.* hearth, home
atroce terrible, atrocious
attachant appealing
attacher to attach, fasten to, dwell upon
attaque *f.* attack, stroke
attaquer to attack
atteindre to attain, reach, arrive at, touch
atteint stricken
atteler to hitch up
attendant: en — in the meantime
attendre to await, expect, wait for
attendrir to soften, move
attendrissement *m.* softening, tenderness
attenti-f, –ve attentive, considerate
attention *f.* attention; faire — to be careful, pay attention; prêter — pay attention
attester to prove
attirer to draw, attract
attraper to catch, seize, take; — un mal to get sick
attribuer to attribute
aube *f.* dawn, daybreak
aucun any, no, none
au-dessous beneath, below
au-dessus above, over
augmenter to augment, increase
aujourd'hui today
auparavant before, earlier, previously
auprès (de) near, close by, beside,

with; ne m'oubliez pas — remember me to
aussi also, too, likewise; so, as; — ... que as ... as
aussitôt immediately
autant (que) as much, as many; d'— plus all the more
auteur *m.* author
autorité *f.* authority, power
autour (de) around, about
autre other, different
autrefois formerly
avaler to swallow, gulp down
avance *f.* advance, start; d'— in advance, beforehand
avancer to advance, continue
avant (de) (que) before, in advance; de l'— forward, straight ahead
avantage *m.* advantage, profit
avant-veille *f.* evening before last
avenir *m.* future; à l'— in the future
aventure *f.* adventure, chance
avertir to warn, caution, tell, announce, inform
aveugle blind
aveugle *m. and f.* blind person
aveuglement *m.* blindness
aveugler to blind
avide avid, eager
avidement eagerly, avidly
avidité *f.* avidity, eagerness
avis *m.* opinion, advice
aviser to consider
aviver to polish, brighten
avoir to have, possess, get, feel; — beau to do in vain; — besoin to need; — faim to be hungry; — gain de cause to win an argument; — raison to be right; — (le) tort to be wrong, make a mistake; qu'est-ce que vous

avez? what's the matter with you?

avoir *m.* possessions, property

avouer to confess

avril *m.* April

B

baba *m.* cake, coffee-cake

bachelier *m.* secondary school graduate

bachot *m.* secondary school diploma, degree

bâcler to hurry

bague *f.* ring

baigner to bathe

bâillement *m.* yawn

bain *m.* bath

baiser to kiss

baiser *m.* kiss

baisser to let down, lower; decrease (*in value*)

bal *m.* ball, dance

balancer to balance, swing, hesitate

balbutier to stammer

baldaquin *m.* canopy, lamp shade

banc *m.* bench

banlieue *f.* suburb

baquet *m.* bucket, tub

baraque *f.* large barnlike building, shack

barrage *m.* barrier

barre *f.* bar

barricader to barricade

barrière *f.* barrier, tollgate

bas, –se low, low pitched, base, vile; à voix basse in a whisper; en — downstairs, below

bas *m.* stocking

base *f.* base, bottom

basse-cour *f.* chicken yard

bâton *m.* stick; mettre des —s dans les roues to oppose, hinder

battant *m.* one side of a double door

battre to beat, strike, defeat; se — to fight

battu downcast

beau, bel, belle beautiful, handsome; — geste noble gesture; avoir — to do in vain; faire — be good weather

beaucoup (de) much, many, a lot, very much

bébé *m.* baby

belle-fille *f.* daughter-in-law, stepdaughter

belle-sœur *f.* sister-in-law

bénir to bless

besogne *f.* work, task, business

besoin *m.* need; au — in case of need; avoir — to need

bête *f.* beast, animal

bête silly, stupid, foolish

bêtise *f.* nonsense, stupidity; faire des —s to do foolish things

biberon *m.* nursing bottle

bicyclette *f.* bicycle

bien *m.* good; —s *m. pl.* goods, estate, property

bien well, right; comfortable; very, a great deal; — des many; — que although; — sûr certainly

bien-aimé *m.* beloved, favorite

bienfait *m.* benefit

bientôt soon; à — see you later

billard *m.* billiard room

bis brown; pain — dark bread

blaguer to tease, joke

blanc, blanche white

blême pale, pallid

blesser to wound, hurt; — à mort to wound mortally

blessure *f.* wound

bleu blue

blond fair, blond

blottir (se) to crouch, huddle

boire to drink; — **des yeux** to stare at, feast one's eyes on
bois *m.* wood; woods, forest
bolide *m.* shooting star
bon, –ne good, kind; **allons —!** come now! **à quoi —** what is the use
bonheur *m.* happiness
bonne *f.* maid, servant
bonté *f.* kindness
bord *m.* edge, side, bank; **sombres —s** "the great beyond"
border to border, border on
borne *f.* limit
bosselé uneven
bossu hunchbacked, lumpy
bottine *f.* high shoe
bouche *f.* mouth
boucher to stop (up)
boucherie *f.* butcher shop
bouclé curled, waved
bouder to sulk, pout
boue *f.* mud
boueu-x, –se muddy
bougeoir *m.* candlestick
bouger to stir, budge, go away, move, tremble
bougie *f.* candle
bougonner to grumble
bouilli swollen
bouillir to boil
bouillotte *f.* foot warmer, bed warmer
boule *f.* ball; **en —** rolled up
boulevard *m.* boulevard, drive, main street
bouleverser to overthrow, upset
bourdonnement *m.* buzzing
bourdonner to buzz, hum
bourgeois *m.* middle-class person
bourreau *m.* executioner
bourrer to stuff, fill to capacity
bourse *f.* market, stock exchange

bousculé tousled
bout *m.* end, extremity
bouteille *f.* bottle
boutique *f.* shop
bouton *m.* pimple, button, bud
boutonner to button
branche *f.* branch, bough
brandir to brandish
bras *m.* arm; — **de chemise** shirt sleeves
brasse *f.* stroke
bravade *f.* bravado
br–ef, –ève brief, short
bretelle *f.* suspenders
brièvement briefly
brigadier *m.* police sergeant
brillant bright, brilliant, shining
briller to shine, glitter
briser to break, shatter
bronze *m.* statue, bronze
brosser to brush, brush off
brouillard *m.* fog, mist
broussaillé tousled
bruit *m.* noise, rumor, scandal; **à petit —** softly; **colporter de mauvais —s** gossip, spread bad news
brûlé hot
brûler to burn, consume, be anxious
brûlure *f.* burn, burning
brume *f.* fog, mist
brusque blunt, abrupt, brusk
brusquement abruptly
bûche *f.* log
buis *m.* boxwood
bureau *m.* office, desk; — **de placement** employment office
buste *m.* bust

C

çà here
ça (cela) that; — **va** that's all right; **où —?** where then?

cabinet *m.* study, office
caboulot *m.* low-class café
cabrer (se) to take offense
cacher to hide, conceal
cadeau *m.* gift, present
cadet, -te younger, youngest
café *m.* coffee, café
cafetière *f.* coffeepot
cahier *m.* notebook
cahot *m.* jolt, bump
calcul *m.* figuring, calculation
calculer to calculate, compute, scheme
calme *m.* stillness
calme calm
calmement calmly
camarade *m.* comrade
campagne *f.* country, field
canapé *m.* sofa
candidat *m.* candidate
capitaine *m.* captain
capitonner to upholster
car for, because, as
caractère *m.* character
caresse *f.* caress
caresser to caress, fondle
carpe *f.* carp
carreau *m.* square
carrière *f.* career
carrure *f.* size, breadth
carte *f.* card, map, menu
cas *m.* case, instance; au — in case; en tout — at any rate
catégorique categorical, firm
cathédrale *f.* cathedral
cause *f.* cause, reason; à — de because of; avoir gain de — to win an argument; en — concerned
caveau *m.* vault
ceci this
céder to yield, abandon, submit
ceindre to encompass, wreathe
ceinture *f.* belt

cela (ça) that
célèbre celebrated, famous, renowned
céleste celestial, heavenly; corps — angel
cellule *f.* cell
cendre(s) *f.* ashes, embers]
cent (one) hundred
cependant nevertheless, however, meanwhile
cercle *m.* circle
cercueil *m.* coffin
certitude *f.* certitude, certainty
cerveau *m.* brain
cervelle *f.* brain
cesse *f.* ceasing; sans — unceasingly
cesser to cease, quit, stop
chacun each, every
chai *m.* wine cellar
chaîne *f.* chain
chair *f.* flesh, meat
chaise *f.* chair; — longue reclining chair
châle *m.* shawl
chaleur *f.* heat, passion, warmth
chambre *f.* room, bedroom; femme de — chambermaid; robe de — dressing gown
champ *m.* field; sur le — immediately
chance *f.* chance, luck
chandelle *f.* candle
change *m.* change; donner le — to confuse, throw off the scent
changer to change, alter
chanter to sing; crow (*of a rooster*)
chantonner to hum
chapeau *m.* hat
chapitre *m.* subject, affair, chapter; voix au — voice in the matter
chaque each, every
charcuter to butcher, cut up

charge *f.* load, trust, burden, expense

charger to load, charge; **se — de** to be responsible for, take charge of

charité *f.* charity

chasser to chase, drive away; hunt

chasseur *m.* infantryman, soldier

château *m.* castle, country house

chaud warm, hot; **avoir — to be warm; faire — to be warm**

chaud *m.* heat; **rester au — to remain hot**

chaudron *m.* kettle

chauffage *m.* heat

chauffer to heat

chaussée *f.* street

chauve bald

chauve-souris *f.* bat

chef *m.* chief, leader, head

chemin *m.* way, route, course, road; **— de fer** *m.* railroad

cheminée *f.* chimney, fireplace, mantel

chemise *f.* shirt, blouse; woman's undergarment; cover, file-guide, folder; **bras de —** shirt sleeves

cher, chère dear, costly, dearly

chercher to seek, look for, get

chéri dear, beloved

chérir to cherish

cheval *m.* horse; **— de labour** work horse, farm horse

chevet *m.* pillow, head of a bed; **table de —** bedside table

cheveu *m.* hair

chevrotement *m.* pleading, quavering

chez at, in, into, in the house *or* shop of, among; **— nous** home; **— le photographe** at the photographer's studio

chien *m.*, **chienne** *f.* dog

chiffre *m.* figure, number, total

chignon *m.* topknot, roll of hair

chimère *f.* chimaera, spirit, monster

chiper to pinch, pick up

chirurgien *m.* surgeon

chocolat *m.* chocolate, chocolate candies

choisir to choose, select

choix *m.* choice

choquer to shock

chose *f.* thing, matter, fact

chou *m.*: **— à la crème** cream puff

chouette *f.* owl

chronique *f.* chronicle, news

chrysanthème *m.* chrysanthemum

chuchotement *m.* whispering

chuchoter to whisper

ci here; **par —** around here

ciel *m.* sky, heaven

cierge *m.* candle

cigale *f.* cicada, locust

cigare *m.* cigar

cil *m.* eyelash

cinq five

cinquante fifty

circonstance *f.* circumstance

cité *f.* city

citer to cite, quote

clair clear, plain; light

clandestin furtive, clandestine, secret

clapier *m.* rabbit hutch

claquement *m.* slamming

claquer to slam

classe *f.* class

clé, clef *f.* key

clément mild, warm, clement

clerc *m.* clerk, employee; **premier — office manager**

client *m.* customer, client, patient

cligner: — de l'œil to wink, blink

clochard *m.* tramp, vagabond; **faire le — to act like a tramp**

cloîtrer to close, shut up

clos closed, stuffy

clos *m.* vineyard; — **Fourtet a** famous brand of wine

clôture *f.* enclosure, confinement

clou *m.* nail, tack; **river leur —** to silence them

cocagne *f.* abundance; **vie de —** life of ease

cocher *m.* coachman

cœur *m.* heart; **au —** d'hiver in the dead of winter; **avoir du —** to have courage

coffre *m.* chest, box

cogner to bump, bump against

coiffer to wear on one's head; to do the hair

coiffeur *m.* barber, hairdresser

coiffure *f.* hairdo

coin *m.* corner, angle; **— du feu** chimney corner

coincider to coincide

col *m.* collar

colère *f.* anger, wrath

collation *f.* lunch, refreshment

collège *m.* high school, private secondary school

coller to stick, press, lean against, fail an examination

colporter to peddle, **— de mauvais bruits** to gossip, spread bad news

combattre to fight

combien (de) how much, how many

comble *m.* limit, last straw

combler to fill, cover with, overwhelm

comédie *f.* comedy, play, pretense, farce

commander to order

comme as; in the way of

commencer to begin, start

comment what, how, in what manner, why

commentaire *m.* commentary

commerçant *m.* merchant

commettre to commit

commise *f.* shopgirl

commode convenient, comfortable

commun common; **les —s** back road; **portail des —s** back door

commune *f.* commune, district

communiquer to communicate

comparer to compare

complaire (se) to take delight in

complaisant complacent, obliging

compl-et, –ète complete

complètement completely

complice knowing

compliment *m.* compliment; **être aux —s** to stand on ceremony

compliquer to complicate

composer to compose, make up

comprendre to understand, comprehend

compresse *f.* compress

compromettre to bind, risk, compromise

comptabilité *f.* accounting

compte *m.* count, account; **— rendu** account; **devoir des —s à** to owe an accounting to; **relevé de —** statement of account; **rendre —** to give account; **se rendre —** understand, realize; **tenir —** to take into account

compter to count, figure, reckon, intend

comptoir *m.* counter

concéder to concede, grant

concerner to concern, relate to

concierge *m. and f.* janitor, doorkeeper, porter

concitoyen *m.* fellow citizen

conclure to conclude, finish, decide

concours *m.* contest, examination; **— hippique** horse race

condamné one condemned
condamner to condemn
conduire to conduct, lead, drive
confection: de — ready-made
conférer to confer
confiance *f.* confidence
confier to confide, entrust
confiner to shut up, confine
confins *m. pl.* edge, border
confirmer to confirm, ratify
confit *m.* preserves
confondre to confound, confuse, mingle
confortable comfortable
confus confused, obscure
confusément confusedly
congé *m.* leave, vacation
congestionner to congest, cause to turn red
connaissance *f.* acquaintance, knowledge
connaître to know, be acquainted with
consacrer to consecrate, devote, confirm
conscience *f.* conscience, consciousness; en avoir — to be aware of
conscient conscious
conseil *m.* counsel, advice
consentement *m.* consent
consentir to consent, agree
considérer to consider, estimate, think over; — en face to face it
consommer to end, carry out, consummate
constater to ascertain, prove, establish, declare, note
consterner to fill with consternation
consulter to consult, confer with
contact *m.* contact, connection; prendre — avec to have dealings with

contempler to contemplate, behold
contenir to contain, hold, control
continuer to continue
contourner to go around
contraire contrary, opposite; au — on the contrary
contrarier to peeve, vex
contre against
contre-partie *f.* counterpart, other side
contrôleur *m.* conductor
convaincre to convince, persuade
convenir to suit, become, agree
copeau *m.* wood chip
coq *m.* rooster
corde *f.* cord, rope, string
corps *m.* body, corpse; — céleste angel
correction *f.* good manners
corrida *f.* bullfight
corsage *m.* blouse
cosmétique *f.* pomade
côte *f.* slope, hill; rib; — à — side by side
côté *m.* side, direction; à — de beside; de — aside; de l'autre — on the other side
cou *m.* neck
couchant setting
couché in bed, reclining
coucher to put to bed; spend the night, lie down; se — to lie down, go to bed
coude *m.* elbow
coudre to sew
couler to flow (in), slip out
couleur *f.* color
couloir *m.* hall, corridor
coup *m.* blow, kick, shot; — d'œil glance; du premier — at first glance; porter le — deal a blow; tenir le — make a living, get

along; **tout à** — suddenly; **tout
d'un** — all at once
coupable guilty, culpable
coupant cutting, sharp
coupe *f.* cup
couper to cut, cut off, interrupt; —
la parole to interrupt
cour *f.* yard, court; — **d'honneur**
quadrangle; **basse** — chicken
yard
courageu–x, –se brave, courageous
courant *m.* running, tide; **au** —
aware of; mettre au — to inform
courbe crooked
courber to bend, curve
courir to run, hurry, be prevalent,
run on
cours *m.* course, lesson; boulevard,
avenue; au — de during
course *f.* race, ride
court short, brief
courtepointe *f.* counterpane
courtois courteous
coussin *m.* cushion
coûter to cost; **coûte que coûte**
come what may, at any cost
coûteu–x, –se costly, dear
coutume *f.* custom, habit, practice;
de — usual
couvent *m.* convent
couver to shelter, console
couvert *m.* cover, place (*at table*)
couvert covered, closed
couverture *f.* cover, counterpane
couvrir to cover, conceal
craindre to fear
crainte *f.* fear, dread
crainti–f, –ve fearful, afraid
cran *m.* nerve, pluck
crâne *m.* skull, head; — **fuyant**
receding forehead
crapaud *m.* toad
cratère *m.* crater

crayon *m.* pencil
créancier *m.* creditor
créature *f.* creature, child, **person**
créer to create, make
crème *f.* cream; **choux à la** —
cream puffs
crémerie *f.* dairy lunch, creamery
crépiter to crackle
crépuscule *m.* twilight
creuser to dig, mark, hollow
crever to die; break
cri *m.* cry, shout
crier to cry out, shout
crime *m.* crime; **maison à** — house
for a crime
crise *f.* fit, crisis; **en pleine** — all
wrought up
crispation *f.* anger
cristal *m.* glass, window pane
critiquer to criticize
crochet: à tes —s at your expense
croire to believe
croisière *f.* cruise
croissant *m.* crescent roll; tiara
cuiller, cuillère *f.* spoon
cuir *m.* leather
cuisine *f.* kitchen, cooking
cuisse *f.* hip, thigh
cultiver to cultivate
culture *f.* crop; —s **maraîchères**
garden produce
curé *m.* priest
curieu–x, –se curious, strange, rare
curiosité *f.* curiosity
cuvette *f.* basin
cuvier *m.* vat, tub
cyclope *m.* Cyclops (*a mythological
one-eyed giant*)

D

daigner to care, deign
dalle *f.* paving stone

dame *f.* lady; —! the deuce!
dangereu-x, -se dangerous
danser to dance
danseu-r, -se *m. and f.* dancer,
    partner, chorus girl
davantage more, further
débarrasser to rid, clear; se — de
    get rid of
débattre to discuss; se — to strug-
    gle against
débile weak
débiter to utter, retail, tell
déborder to overflow
debout upright, standing
débrouiller to untangle; se — to
    get along, manage
début *m.* beginning
débutant *m.* beginner
deçà on this side
décembre *m.* December
déception *f.* deception, disappoint-
    ment
décevoir to deceive, disappoint
décharger to unload, discharge
décharné fleshless, thin
déchéance *f.* fall, falling due, down-
    fall
déchiffrer to decipher, puzzle out
déchirant heart-rending
déchirer to tear, wound
décider to decide
déclarer to declare, proclaim
déclin *m.* setting, decline
décliner to decline, set; refuse
décombres *m. pl.* cinders, ashes,
    ruins
décomposé distorted, rotted
déconfiture *f.* bankruptcy
déconvenue *f.* discomfiture
décor *m.* scene, setting
découvrir to discover; uncover,
    open, reveal
décrié despicable

décrire to describe
décrocher to unhook, catch
déçu disappointed, deceived
dedans inside, within; au — de
    inside
défaire to undo, unmake
défait troubled
défaite *f.* failure, defeat
défaut *m.* defect, failure, lack
défendre to defend, prohibit
défense *f.* defense, prohibition
défi *m.* defiance
défilé *m.* procession, march; — vers
    les ténèbres march towards
    death
défiler to file by
dégager to disengage, free, re-
    deem
dégoût *m.* disgust, displeasure, dis-
    like
dégrafer to unfasten
degré *m.* degree
dégrisé sobered
dehors outside, out; en — de out-
    side of, apart from
déjà already
déjeuner *m.* lunch, breakfast
déjeuner to lunch, breakfast
delà: au — beyond
délasser to relax
délavé soaking wet
délaver to soak
délices *f. pl.* delight, pleasure
délier to untie, release
délivrer to free
demain tomorrow
demande *f.* request, question; —
    de mariage marriage proposal
demander to ask, request; se — to
    wonder
démarche *f.* step, measure, move
démêler to untangle, deduce
démenti *m.* contradiction

démesuré limitless, unrestrained, inordinate, extreme
demeurer to remain, live
demi m. half
demi half; à — halfway
démission f. resignation
demoiselle f. girl, miss; — de magasin shopgirl
démuni defenseless, unfurnished
dent f. tooth; —s écartées widely spaced teeth
dentier m. denture, false teeth
dénument m. deprivation
départ m. departure, leaving
dépasser to go beyond, pass by
dépendre to depend
dépense f. expense, expenditure
dépenser to spend
dépérir to grow sickly, grow thin
déplaire to displease
dépôt m. deposit, trust
dépouillé hereft
dépouiller to rob, despoil
depuis since, after, from, for; — peu for a short while; — que since
déraisonner to talk nonsense
déranger to disturb, bother
derni-er, –ère last, final, worst
dérobé, secret; à la —e in secret, on the sly
dérober to rob, steal, conceal; se — to avoid, flee
derrière behind
dès from, since; — que when, as soon as; — le bachot fini as soon as the (examination for the) bachot is over
désaltérer (se) to quench one's thirst
désarmé helpless
désarmer to disarm
désarroi m. upset, shock, disorder

désastre m. disaster
desceller to unseal, unfasten; — les dents to talk
descendre to descend, lower
descente f. fall; — de lit bedside rug
désert m. wilderness
désert deserted
désespérer to despair, lose hope
désespoir m. despair, desperation
déshabiller to undress
déshabituer (se) to get out of the habit, get used to doing without
déshonneur m. dishonor
déshonorer to dishonor
désigner to designate
désir m. desire, want
désirer to desire, want
désobliger to insult
désoler to desolate, afflict; se — to be overwhelmed
désordre m. disorder
désordre disorderly
désormais henceforth, hereafter, in the future
desserrer to open
dessiner to draw, sketch; se — to appear
dessous beneath, below
dessus above, over; par — over and above; par — le marché in addition
destin m. destiny, fate
destiner to destine, prepare
détachement m. breaking loose, detachment
détacher to detach, remove, clip, tear off
détendre to relax
détester to detest, hate
détourner to divert, turn aside
détruire to destroy
dette f. debt, obligation

deuil *m.* mourning

deux two; tous (les) — both

devant before, in front of

devant *m.* front, forepart

développer to develop

devenir to become, turn out, happen to

déverser to pour out

dévêtu skimpily dressed, undressed

deviner to guess, foretell

devis *m.* estimate

dévisager to stare at

devoir *m.* duty, task; — d'état official duty

devoir to owe, must, have to, ought, be to

dévorer to devour

diamant *m.* diamond

diarrhée *f.* diarrhea

dieu *m.* god; Dieu God; bon —! mon —! good heavens!

difficile difficult

difficulté *f.* difficulty

diffus diffuse, ill-defined

digne deserving, worthy, dignified

dignité *f.* dignity

dilaté dilated, enlarged

dimanche *m.* Sunday

diminuer to diminish, lessen, weaken

dîner *m.* dinner, supper

dîner to have dinner, dine

dire to say, tell; c'est à — that is to say; vouloir — to mean

diriger to direct, guide, govern; se — to go (toward)

discerner to note, see

discr-et, –ète discreet

discuter to discuss, argue

disparaître to disappear

dispenser to excuse, dispense with

disposition *f.* disposition, disposal, intention

dissimuler to hide, conceal

distinctement distinctly

distrait absent-minded, distracted

divergence *f.* difference

dix ten; dix-huit eighteen; dix-neuf nineteen; dix-sept seventeen

docteur *m.* doctor, physician

doigt *m.* finger, toe

domestique *m. and f.* servant

dominer to dominate, manage, control

don *m.* gift

donc then, therefore, hence, so, now, indeed; dites — say there

donner to give; open upon, face; produce; — le change to confuse, throw off the scent, deceive

dont whose, of which, of whom, from which

dorer to gild, make golden

dorloter to pamper, coddle, take good care of

dormir to sleep

dos *m.* back

dossier *m.* folder, file, dossier; back

dot *f.* dowry

dotal concerning a dowry

doucement softly, slowly

douleur *f.* pain, sorrow, grief

douloureu–x, –se painful

doute *m.* doubt

douter to doubt, question; se — to mistrust, fear, suspect

dou–x, –ce sweet, soft, gentle, pleasant

douzaine *f.* dozen

drame *m.* drama, tragedy

drap *m.* cloth, sheet

dressage *m.* upbringing, training

dressé on end (*of hair*); trained; scolded

dresser to arrange, raise; se — to

stand up, sit up, take a stand against

droit *m.* right, privilege

droit right, straight; à —e on the right

drôle droll, funny

drôlesse *f.* queer person, questionable person

dû owed, owing

dur hard, harsh, unfeeling

durant during, for, while

durer to last, endure

dureté *f.* hardness, harshness

duvet *m.* down, fuzz, very fine feathers

duveté downy, covered with down

E

eau *f.* water

éblouir to dazzle

éblouissant dazzling

ébranler to shake, move, disturb

ébriété *f.* intoxication

écailleu-x, -se scaly

écarlate scarlet

écart: à l'— aside, out of the way

écarter to put aside, spread, remove, give up; s'— to go away, pull away; dents écartées widely spaced teeth

échanger to exchange

échappement *m.* exhaust

échapper to escape, avoid

échauffer to heat, get warm

échec *m.* failure, setback, defeat

échelle *f.* ladder, scale

échevelé faded, disheveled

éclair *m.* flash, instant

éclairer to light (up), give light

éclat *m.* burst, explosion, outburst; — de voix shout

éclater to explode, burst; — de rire to burst out laughing

écœurer to discourage

économie *f.* economy, saving(s)

écoulement *m.* sale; flow

écouler to flow, pass, go off, elapse

écourter to shorten

écouter to listen to, hear

écraser to crush, overwhelm, destroy

écrire to write

écriture *f.* writing

écroulement *m.* crumbling away

écrouler: s'— to slump

écume *f.* foam, spray

édredon *m.* quilt, eiderdown

éducation *f.* education, training, breeding

effacer to blot out, efface, erase

effet *m.* effect, result; en — in fact, indeed

effeuiller to strip of leaves *or* petals

effleurer to bother, worry; touch lightly

efforcer: s'— to make an effort, strive, try

effrayer to frighten, alarm

effroi *m.* fright, terror

ég-al, -aux equal, like, same; c'est — it's all the same

égard *m.* regard, consideration, respect; à l'— de with regard to

église *f.* church

égorger to cut the throat of, slaughter

élan *m.* start, outburst, enthusiasm, impulse

électrique electric

élevage *m.* stock raising

élever to raise, bring up; s'— to rise, arise

éloigner to recede, remove, grow

distant, push away; s'— to withdraw, go away
éluder to elude, avoid
émanciper to free, declare of legal age
émaner to come out, emanate, be emitted
embraser to burn; cause to turn red, embarrass
embrasser to embrace, kiss
émeraude f. emerald
émerger to emerge
émerveillement m. astonishment
émerveiller to astonish; s'— to be astonished
emmener to take, escort, conduct
émoi m. excitement, emotion
empâté pasty, pale
empêcher to hinder, prevent
empire empire style
emplir to fill
empoisonner to poison
emporter to carry away, remove, take along
ému excited, troubled, moved
encadrer to frame
enchanter to enchant, charm
encore again, still, yet; — que although; — si if only; — une fois once again
encourager to encourage, support
endormi asleep, sleepy
endormir to put to sleep; s'— to go to sleep
endroit m. place, spot
énergumène m. and f. hothead
énervement m. exasperation, exhaustion, weariness
enfance f. infancy, childhood; childishness
enfant m. and f. child, youngster
enfer m. hell, torment
enfermer to shut in, enclose

enfin finally, at last, in short
enfoncer to sink, break in; s'— to plunge in
enfouir to hide, bury
enfourcher to bestride, straddle
enfuir: s'— to escape, run away
engager to launch, engage, involve, pledge; s'— to enter, penetrate; promise, enlist
engourdissement m. dulling, numbness
enlever to remove, carry away
ennemi m. enemy
ennemi hostile, enemy
ennoblir to ennoble, make noble
ennuyer to tire, bore; s'— to grow bored
ennuyeu-x, -se tiresome, annoying, boring
énorme enormous, huge
enrouer to make hoarse
ensemble together; tout — at the same time
ensoleillé sunny, shining
ensuite afterwards, then, next
entasser to pile up
entendre to hear, understand
entendu: bien — of course
enterrement m. burial, funeral
enthousiasme m. enthusiasm
enti-er, -ère entire, whole, complete
entourer to enclose, surround
entrailles f. pl. insides, heart
entraîner to drag along, lead, pull, encourage
entre between, among
entrebâillé half-open, ajar
entrebâiller to half open
entrecoupé interrupted
entre-croiser: s'— to criss-cross
entrée f. entrance, entry
entrepôt m. store, warehouse

entrer to enter
entresol *m.* mezzanine, office
entretenir to support, look after, entertain, keep
entretien *m.* maintenance; conversation
entrevoir to perceive, half see, glimpse
entrevue *f.* interview, visit
entr'ouvert half-open
envahir to invade, overcome, overwhelm, flood
enveloppe *f.* envelope
envelopper to envelop, wrap up, encircle
envers towards
environ about, almost
environs *m. pl.* neighborhood, suburbs, environs
envoyer to send; — chercher to send for
épais, -se thick
épaissir to thicken, widen
épandre to spread out, scatter
épargner to spare
épater to shock, frighten
épaule *f.* shoulder
épaulette *f.* shoulder strap
épice *f.* spice
épiderme *m.* skin
épier to spy on, watch
époque *f.* epoch, time
épouser to marry, join
épreuve *f.* proof, test, experience, ordeal
éprouver to feel, experience, try
épuiser to exhaust, use up, empty
équilibre *m.* equilibrium, balance
équipage *m.* carriage
esbrouffe *f.* exaggerated mannerism; faire de l'— to make a show
esbrouffer to make a show, put on airs

escalier *m.* stairs, staircase; — de service servants' staircase
esclave *m. and f.* slave
espacé spaced
espacer to slow down, space
espadrille *f.* canvas shoe
espagnol Spanish
espèce *f.* species, kind, sort
espérance *f.* hope
espérer to hope, expect, wait
espoir *m.* hope
esprit *m.* mind, spirit, wit
essayer to try, attempt
essentiel, -le essential
essentiel *m.* essential
essoufflé out of breath, breathless
essuyer to wipe, dry
essuyure *f.* marks made by wiping
estampe *f.* print, picture
étable *f.* stable, barn
établir to establish
étage *m.* story, floor
étale slack (*neither rising nor falling*), still, motionless
étaler to spread out
état *m.* state, condition
étau *m.* vice, clamp, grip
été *m.* summer
éteindre to extinguish, put out; s'— to die out
étendu extensive, stretched out
étendue *f.* area, stretch, extent
éternel, -le eternal, everlasting
éternuer to sneeze
étinceler to shine, glitter
étirer to stretch out
étoile *f.* star
étonnant astonishing
étonnement *m.* astonishment, surprise
étonner to astonish, surprise; s'— to be astonished
étouffant stifling

étouffer to suffocate, choke, stifle
étourdissement *m.* fainting spell
étrange strange, odd
étrang–er, –ère *m. and f.* stranger, outsider
être *m.* being, person
être to be; have
étreinte *f.* embrace, pressure
étroit narrow, straight, strict
étroitement narrowly, closely
étude *f.* study, office, study room
étui *m.* cigar box, case
évader (s') to escape
évaluation *f.* value, estimate
évanouir to faint, vanish
évasion *f.* escape, evasion
éveillé awake
éveiller to wake, arouse; s'— to wake up
événement *m.* event, occurrence
évidemment *m.* evidently, of course
évidence *f.* evidence; se rendre à l'— to give in to the evidence
éviter to avoid, shun
évoquer to recall, remember; mention
exactement exactly
exaspérer to exasperate
excédé tired, disgusted
excellence: par — par excellence, superior
excuse *f.* apology, excuses
excuser to excuse, pardon; s'— to apologize
exemple: par —! indeed! the idea!; par — for example
exhaler to exhale, give off
exigeant demanding, strict
exigence *f.* necessity
exiger to exact, require, demand
exister to exist, live, be
expédier to send, ship
expliquer to explain

exploitation *f.* development
exposé *m.* idea, plan
exprès on purpose, expressly
exprimer to express, declare
extensi–f, –ve extensive
exténuant fatiguing, tiring
exténuer to wear out, tire
extrémité *f.* extremity

F

fable *f.* byword, gossip, "talk"
fabriquer to manufacture
fabuleu–x, –se fabulous
façade *f.* front, façade
face *f.* face, front; considérer en — to face it; en — facing, face to face
face-à-main *m.* lorgnette
fâché angry
facile easy, smooth
faciliter to facilitate
façon *f.* fashion, manner, way
faculté *f.* faculty; — des Lettres College of Liberal Arts; — de Médecine School of Medicine
fagot *m.* bundle
faible *m.* weakness
faible feeble
faiblement weakly
faiblesse *f.* weakness, feebleness
faiblir to weaken, tire
faillir to miss, fall short, nearly do
faim *f.* hunger; avoir — to be hungry
faire to do; say; pretend; make, cause; s'en — to worry, get upset; — attention to pay attention; — beau to be good weather; — chaud to be hot; — les foins to cut grass, make hay; — mal to harm, cause pain; — marcher

to make a dupe of; — **peur to** frighten; — **place nette** to vacate; — **plaisir** to give pleasure; — **semblant** pretend; — **le sourd** to play deaf; ça ne fait rien that makes no difference; — **téter** to nurse; — **la généreuse** to play generous

faisceau *m.* bunch, bundle

fait *m.* fact, act, deed; **au** — **!** come to the point! — **accompli** accomplished fact; **tout à** — entirely

fait done

faîte *m.* top, apex

falloir to be necessary, be required, be proper

falot *m.* lantern

famili-er, -ère familiar, intimate

famille *f.* family; **en** — in the family circle, at home

faner to fade

farce *f.* joke, trick

farcir to cram, stuff

fardeau *m.* burden

fatiguer to tire, fatigue

faubourg *m.* suburb, section of a city

faucher to mow, cut; **fauché** lying (*as if beaten down*)

faute *f.* fault, mistake, lack

fauteuil *m.* armchair, theater seat

fau-x, -sse false, out of tune; **faire fausse route** to get on a wrong track

faveur *f.* favor

favori, -te favorite

feindre to pretend

feint pretended

féliciter to congratulate

femme *f.* woman, wife; — **de chambre** chambermaid, servant

fendre to break, split, penetrate

fenêtre *f.* window

fer *m.* iron

ferme *f.* farm

ferme firm, steady

fermé blank, expressionless

fermer to close, shut; **heal**

fermeture *f.* closing

fermier *m.* farmer

fermière *f.* woman farmer

feu *m.* fire; **coin du** — chimney corner

feuillage *m.* foliage

feuille *f.* leaf, page, paper

feuilleter to thumb through

fiacre *m.* cab

fiançailles *f. pl.* engagement

fiancé engaged

fidèle faithful, loyal

fier to trust; **se** — **à** to have confidence in

fi-er, -ère proud, boastful

figuier *m.* fig tree

figure *f.* face, form, countenance

figurer: se — to imagine, think

filer to spin; leave

fille *f.* girl, daughter; **vieille** — old maid

fils *m.* son; **le** — **Révolou** young Révolou

fin *f.* end, finish

fin thin, refined, subtle, acute

finir to finish

fisc *m.* bureau of internal revenue

fixe fixed, steady

fixer to fix, make fast, notice carefully, stare at

flamme *f.* flame, glow

flanc *m.* flank

flaque *f.* pool, puddle

flèche *f.* arrow, thrust, ray

fleur *f.* flower

fleuve *m.* river

flot *m.* flood, wave, tide

foi *f.* faith, trust, religion
foie *m.* liver
foin *m.* hay, grass; faire les —s to cut the grass, make hay
fois *f.* time, occasion; à la — at the same time; que de — how many times
folie *f.* foolishness
follet, –te downy, fluffy
foncer to rush in, attack
fonction *f.* function
fond *m.* bottom, depth; à — thoroughly; au — down deep inside
fonder to found, establish
fondre to melt, dissolve; come upon
fontaine *f.* fountain
force *f.* force, strength; à — de by dint of, by reason of
forcer to force; raise
forêt *f.* forest
formalité *f.* formality
forme *f.* form, shape
formel, –le formal
formidable remarkable, formidable
formule *f.* formula
fort strong, big, hard, much
fort *adv.* closely, very, loudly
fort *m.* strength, strong point, forte
fortune *f.* fortune, luck
fou *m.* fool, idiot
fou, fol, folle insane, foolish; stray, loose
fourneau *m.* stove
fournir to furnish, supply
fournisseur *m.* seller of provisions, grocer
fourrure *f.* fur
foyer *m.* hearth
fraîcheur *f.* coolness, freshness
frais, fraîche fresh, cool
frais *m.* expenses, cost
franc *m.* franc (*unit of French money*)

franchir to cross, pass, leap over
frapper to knock, strike
frauduleu–x, –se fraudulent
frayer: se — to force, elbow (a passage)
frémir to tremble, shudder
frère *m.* brother
frictionner to rub, massage
friper to wrinkle
friser to curl
frisottant curling
froid *m.* cold, chill; avoir — to be cold
froisser to crumple
frôler to brush past, rub against
fromage *m.* cheese
front *m.* forehead, front; de — head-on, abreast
frottement *m.* rubbing
frotter to rub, polish
fructifier to produce, bring in income
fuir to flee, escape
fuite *f.* flight, escape, evasion
fumée *f.* smoke
fumer to smoke, steam
funèbre gloomy, funereal
funérailles *f. pl.* funeral
fureter to window-shop, hunt about
fureur *f.* anger, fury
furieu–x, –se furious, angry
futur *m.* future
fuyant receding; crâne — receding forehead

G

gagne-pain *m.* job, livelihood
gagner to earn, reach, win
gai gay, happy
gain *m.* profit, earning; avoir — de cause to win an argument

gant *m.* glove; prendre des —s to use extreme care
ganter to glove
garçon *m.* boy, young man; waiter; premier — venu first comer
garde *f.* guard, watch; mettre en — to warn
garder to guard, watch, take care of, keep; se — de to avoid
garer to shelter, fasten
gâteau *m.* cake, cookie
gauche left, awkward; à — on the left
gaz *m.* gas
gazon *m.* turf, grass
gelée *f.* frost
gémir to groan, moan
gémissant complaining, whining
gênant awkward, annoying, troublesome
gêne *f.* trouble, constraint
gêner to bother, disturb, embarrass
généreu-x, —se generous; faire la généreuse to play generous
générosité *f.* generosity
génie *m.* genius
genou *m.* knee
gens *m. pl.* people
gentil, —le nice, amiable, pleasing
gérer to manage
geste *m.* gesture, action; beau — grand gesture
gestion *f.* administration, care
gifle *f.* slap, blow
gilet *m.* vest
gîte *m.* den, lodging
glace *f.* mirror
glacé cold, freezing, icy
glacer to freeze, chill
glacière *f.* icebox, refrigerator
glisser to slide, sidle; whisper; se — to creep, steal into

gloire *f.* glory
gonfler to swell, inflate, stuff
gorge *f.* throat
gouailler to sneer, tease
goudron *m.* tar, pitch
goût *m.* taste, desire, liking (for)
goutte *f.* drop
grâce *f.* grace, charm; thanks; — à Dieu! thank heavens!
grain *m.* grain, seed; — de raisin grape
grand great, big, large, tall, grand, important
grandeur *f.* greatness, grandeur
grand'mère *f.* grandmother
grand-père *m.* grandfather
grand'route *f.* main highway
grappe *f.* bunch of grapes
gras, —se fat
gratter to scrape, scratch
grave serious, grave
graver to engrave
gravier *m.* gravel, gravel drive
gravir to climb
grec *m.* Greek
grêle *f.* hail
grelotter to shiver, tremble
grenier *m.* garret, attic
grenu coarse, grainy
grief *m.* complaint
grille *f.* grating, iron gate
griller to scorch, toast, grill
grillon *m.* cricket
grincer to squeak
gris gray; gris-blond gray-blond
griser to intoxicate
grive *f.* thrush, snipe
groin *m.* snout
grommeler to mutter
gronder to scold, (*fig.*) threaten, lower
gros, —se big, large
gros *m.* large part

grossir to grow larger
groupe *m.* group
guenille *f.* rag, tatter; poverty
guère: ne ... — scarcely, hardly
guéridon *m.* table, coffee table
guérir to cure, heal; get well
guérison *f.* cure
guerre *f.* war; **de — lasse** tired of
the struggle
guetter to watch for, wait
guider to guide

H

habiller to dress; **s'—** to get
dressed, dress
habit *m.* garment, suit, evening
clothes
habitant *m.* inhabitant, resident
habiter to inhabit, dwell in, live in
habitude *f.* habit, custom; **d'—**
customarily, usually
habituel, –le habitual, customary,
usual
habituer to accustom
haine *f.* hatred, hate
haïr to hate, detest
haleine *f.* breath
hanneton *m.* June bug
hargne *f.* anger, peeve
hasard *m.* chance, risk, accident;
au — at random, by chance; **par
— by chance**
hâte *f.* haste, hurry
hâter to hasten, hurry
hausser to raise, increase, shrug
haut high, tall, loud, difficult; **à
haute voix** aloud; **avoir un haut-
le-corps** to bristle
hauteur *f.* height
héberger to support, shelter
hectare *m.* about two and one-half
acres

hein! what! what do you say?
herbe *f.* grass, herb
hériter to inherit
héritier *m.* heir
hésitant hesitating
hésiter to hesitate
heure *f.* hour, o'clock, time; **tout
à l'—** a while ago, soon
heureu–x, –se happy
heurter to bump against, run
against, oppose
hideu–x, –se hideous
hier yesterday
hippique: concours — horse race
hisser to hoist; **se —** to raise oneself
histoire *f.* story, history, matter
hiver *m.* winter
homme *m.* man, husband; **—
d'affaires** business man, agent
honneur *m.* honor; **cour d'—** court-
yard
honorer to honor
honte *f.* shame; **avoir —** to be
ashamed
honteu–x, –se shameful, ashamed
hôpital *m.* hospital
hoquet *m.* gasp, sob, hiccup
horreur *f.* horror; **faire — à** to
horrify, shock
hors outside, except, beyond, beside; **— de prix** very high priced
hôtel *m.* hotel, residence; **maître
d'—** butler
humain human
humanité *f.* humanity, people
humblement humbly
humide humid
humilier to humiliate
hypnotiser to hypnotize
hypothécaire mortgage
hypothèque *f.* mortgage
hypothéquer to mortgage

I

ici here, now; — bas here below
idé-al, -aux ideal
idée *f.* idea, notion
idiot idiotic
ignorer to be ignorant of, not to know
île *f.* island, isle
illimité limitless
illuminer to light up
illustré illustrated
imaginaire imaginary
imagination *f.* image, imagination
imaginer to imagine, fancy
imbécile foolish, silly, imbecile
imiter to imitate
immédiat immediate
immeuble *m.* real estate, property; house, building
immobile motionless, immobile
immonde filthy, unclean
implorer to beg, implore
importer to signify, matter, be important; n'importe quoi anything
impôt *m.* tax
impraticable impassable
imprégner to impregnate
impuissance *f.* impossibility, inability
inattaquable invulnerable
inattendu unexpected
inavoué hidden, unavowed
incapable unable, incapable
inciter to incite, impel
inclassable indefinable
incliner to incline, bow, bend
incommode uncomfortable
inconcevable inconceivable
inconnu *m.* stranger
inconnu unknown, strange, unrecognizable

inconscient unknowing, unconscious
incroyable unbelievable, inconceivable
indécernable unfathomable
indéfendable indefensible
indéfiniment indefinitely
indésirable undesirable
indicible unspeakable, unutterable
indigne unworthy
indigné angered, angry, indignant
indigner: s'— to become indignant
indiscernable puzzling, unfathomable
indubitable sure, doubtless, indubitable
inég-al, -aux unequal, uneven
inespéré unexpected
inexpression *f.* lack of expression
infini infinite, endless
infiniment infinitely
informer to inform; s'— to inquire
infranchissable impassable
ingrat *m.* ingrate
ingrat ungrateful
inimaginable unimaginable
inintelligible unintelligible
initiale *f.* initial
injure *f.* insult
inouï unheard-of, unbelievable
inqui-et, -ète uneasy, anxious, restless, troubled
inquiéter to worry; s'— to become worried
inquiétude *f.* worry, uneasiness
insérer to insert, mingle
insolite unusual
installer to install; s'— to take up a position, set up, set oneself up
instinct: d'— instinctively
insu: à (mon) insu unknown to (me), in spite of (me)
insulte *f.* insult

165

insupportable unbearable, insupportable

intention *f.* intention; **avoir l'—** to intend, aim; **sans —** unintentionally

interdire to prohibit, forbid

interdit forbidden

intéressant interesting

intéressé selfish, self-seeking

intéresser to interest, concern; **s'—** to take an interest

intérêt *m.* interest, concern, profit

intérieur interior, inside

interlocuteur *m.* speaker, interlocutor

internat *m.* internship

interne *m.* intern, boarding student

interpeller to question, interpellate

interroger to question, examine

interrompre to interrupt

intervalle *m.* interval

intime intimate, close

intimidant intimidating

introduire to introduce, show in

inutile useless, unnecessary

inventorier to examine, take inventory

irritabilité *f.* irritability

irriter to irritate

isolé isolated

issue *f.* escape, exit, outcome

ivre intoxicated, drunk

ivresse *f.* intoxication

J

jaillir to gush, spring forth

jamais never, ever; **ne ... —** never; **à —** forever; **plus —** never

jaquette *f.* short coat, woman's jacket

jardin *m.* garden, park; **— potager** vegetable garden; **— public** park

jaune yellow

jaunir to turn yellow

jet *m.* stream, jet

jeter to throw, cast

jeu *m.* game, matter; **en —** at stake; **le — en vaut-il la chandelle?** is the game worth the candle?

jeudi *m.* Thursday

jeune young

jeunesse *f.* youth

joie *f.* joy, gladness

joint *m.* joint; **trouver le —** to find a way (out)

joli pretty, nice, fine

jongler to juggle

joue *f.* cheek

jouer to play; act, pretend; gamble

jouir to enjoy, possess

jouissance *f.* use, benefit

jour *m.* day, daylight; **petit —** early morning; **quinze —s** two weeks

journal *m.* newspaper, journal

journée *f.* day, day's work

juge *m.* judge

jugement *m.* judgment, sentence

juger to judge, decide, criticize

juguler to strangle

juillet *m.* July

juin *m.* June

jupe *f.* skirt

jurer to swear, take an oath

jusque till, to, as far as; **jusqu'à** until, to the point of; **jusqu'à ce que** until; **jusqu'où** to what point; **jusque-là** until then, to that point

juste just, exact, only; **tout —** only

justement justly, precisely, just now, exactly

justifié justified

K

kilomètre *m.* kilometer (*about ⅝ mile*)

L

là there; — **bas** down there, over there, yonder; — **dedans** in there; — **dessous** beneath; — **dessus** thereupon, on that
labour *m.* work, plowing
lâche loose, cowardly
lâcher to let go, relax; — **le paquet** to blurt it out
laid ugly, plain, homely
laine *f.* wool
laisser to leave, let, allow; — **là** to put aside; — **tranquille** to let alone
lait *m.* milk
laitage *m.* milk food
lambeau *m.* tatter, rag
lampadaire *m.* floor lamp
lampe *f.* lamp
lance *f.* hose, stream, nozzle
lancer to hurl, throw out, dart, begin, plunge
landau *m.* landau (*a kind of carriage*)
lanterne *f.* lamp, lantern, fixture
laquais *m.* servant, lackey
large broad, wide
larme *f.* tear
larve *f.* larva, beginning, embryo
las, –se tired, weary; **de guerre lasse** tired of the struggle
lasser: se — to grow tired, become listless
lassitude *f.* fatigue, weariness
laver to wash, cleanse; **se** — to wash, take a bath

leçon *f.* lesson; **donner des** —**s** to teach
lect–eur, –rice *m. and f.* reader
lecture *f.* reading
lég–er, –ère light, slight, frivolous
légume *m.* vegetable
lendemain *m.* next day, the following day
lentement slowly
lessive *f.* washing
lettre *f.* letter; **Faculté des Lettres** College of Liberal Arts
lever to raise, lift; **se** — to rise, get up, stand up
lèvre *f.* lip
liaison *f.* relationship, affair
liasse *f.* bundle of papers
liberté *f.* liberty, freedom
libraire *m.* bookseller
librairie *f.* book store
libre free, at liberty
lien *m.* tie, connection, bond
lier to tie, bind, associate
lieu place, rank; **au** — **de** in the place of, instead of; **tenir** — **de** act as, take the place of
ligne *f.* line
ligoter to tie up, bind
lilas *m.* lilac
limer to polish, draw up, prepare
limite *f.* limit, bounds
limpide limpid, clear
linge *m.* linen, cloth
lingerie *f.* linen, white clothes; linen closet
liquide *m.* liquid, fluid
liquide liquid
lire to read
liste *f.* list, roll
lit *m.* bed; **descente de** — bedside rug; **saut de** — dressing gown, bathrobe

littéraire literary
littéral literal
livre *f.* pound
livre *m.* book
livrée *f.* serving staff, livery
livrer to liberate; reveal, deliver, give up; se — à to give oneself up to
logement *m.* housing, lodging
loger to lodge, house
logique *f.* logic
logique logical
loi *f.* law, rule
loin far, far away; au — in the distance; de — from afar
loisir *m.* leisure
long, –ue long; à la — after a long time
longer to skirt, parallel, border
longtemps long, for a long time
loquet *m.* door latch, knob
lorgnon *m.* eyeglass
lors then, at that time
lorsque when, at the time that
lot *m.* portion, lot
louange *f.* flattery, compliment, praise
lourd heavy
lourdement heavily
loyer *m.* rent, rental
lucide lucid, clear
lueur *f.* glimmer, spark
luire to shine, gleam
lumière *f.* light
lune *f.* moon; — rousse frost-causing moon
lutte *f.* struggle, fight; haute — hard struggle
luxe *m.* luxury
lycée *m.* high school, public secondary school
lymphatique pale, anemic

M

machinalement mechanically
magasin *m.* store, shop
maigre lean, thin, meager
maigrir to grow thin
main *f.* hand; haute — control, deciding vote; prendre en —s to take charge of; tendre la — to beg; offer to shake hands
maintenant now
maintenir to maintain
maire *m.* mayor
mais but; — oui! why yes! — non! certainly not!
maïs *m.* corn (*Indian*)
maison *f.* house, home; business firm; — de santé private hospital
maître *m.* teacher; owner, master; Maître (*title applied to notaries*); — d'hôtel butler
maîtresse *f.* mistress
maîtrise *f.* mastery, skill; self-control
majesté *f.* majesty
majestueu-x, –se majestic
majeur of age
majorité *f.* coming of age, majority
mal badly, wrong, ill
mal *m.* evil, harm, difficulty; faire du — to hurt, damage; prendre — to become ill
malade *m.* and *f.* sick person, patient, invalid; grand — seriously ill person
malade sick, ill
maladie *f.* illness, sickness
maladroit clumsy
malaga *m.* wine made from Malaga grapes
malentendu *m.* misunderstanding
malgré in spite of

malheur *m.* misfortune, unhappiness

malheureu-x, -se unhappy, unfortunate

malin *m.* rascal, shrewd fellow

mal-in, -igne sly, clever, malicious

maman *f.* mama, mother

manche *f.* sleeve

manger to eat; salle à — *f.* dining room

manie *f.* mania

manière *f.* manner, way, method

manifester to manifest, show

manigance *f.* intrigue, trickery

manœuvrer to manipulate, manage

manque *m.* lack

manquer to fail, miss, be lacking, be absent, need; — la vie to be a failure in life, be disappointed in life

manteau *m.* cloak, mantle

manuel *m.* manual, handbook

manuscrit *m.* manuscript

maraîcher *m.* market gardener, truck farmer

maraîcher: cultures maraîchères garden produce

marche *f.* march, step

marché *m.* market, sale; — de première main farmer's market; par-dessus le — into the bargain

marcher to march, walk, function; faire — to drive on, make toe the mark, make a dupe of

marée *f.* tide

marge *f.* margin

mari *m.* husband

mariage *m.* marriage, wedding

marier to marry, marry off; se — to get married, be married

marini-er, -ère of the sea; cooked with onion sauce

marionnette *f.* puppet

marmonner to mutter

marquer to mark, show, point out

marron *m.* chestnut

marron (*invariable*) maroon color, dark brown

marronnier *m.* chestnut tree

martinet *m.* martin, swift (*bird*)

masque *m.* mask

masquer to mask

masse *f.* mass, bulk

mastroquet *m.* wine shop, wine merchant

mat wan, lifeless, dull

matériel *m.* matter, material

matériel material, coarse, tangible

matin *m.* morning

maussade sullen

mauvais bad, ill

mèchant bad, wicked, unkind

mèche *f.* lock of hair; vendre la — to tell a secret

méconnaissable unrecognizable

médecin *m.* doctor, physician

médecine *f.* medical career, medicine

méduse *f.* medusa, jellyfish

méfiant suspicious

méfier: se — de to distrust, suspect, watch out for

meilleur better, best

mélancolique sad, melancholy

mêler to mix, mingle; se — to be mixed up in, meddle with

melon *m.* melon; derby hat

membre *m.* member, part, limb

même same, self, even; tout de — all the same

mémoire *f.* memory

mémoire *m.* memorandum

menacer to threaten

ménage *m.* housekeeping; equipment; household, family, couple

ménager to manage, run, use carefully, treat with care

mener to lead, bring, conduct, carry on

mensonge *m.* lie

menteu-r, -se lying, false

mentir to lie

menton *m.* chin; — **ravalé** retreating chin

menu *m.* bill of fare, menu

menu small

mépris *m.* contempt, abuse, scorn

mépriser to disregard, despise

mer *f.* sea, ocean

merci *f.* mercy, chance

merci thanks! thank you!

mère *f.* mother

mérite *m.* merit, credit

mériter to merit, deserve

messe *f.* mass

mesure *f.* measure, proportion; **à — que** in proportion as

mesurer to measure

méthode *f.* method

méthodique methodical

mettre to put, set, place; **se — à** to begin, start; **— à la porte** to dismiss, send away; **— au courant** to inform; **— au vert** to make (someone) take things easy, put out to pasture; **— de l'ordre** to straighten up; **— des bâtons dans les roues** to hinder, oppose; **— en garde** to warn

meuble *m.* piece of furniture

meubler to furnish

mi-clos half-closed

micmac *m.* dirty work, trickery

midi *m.* noon, south

mieux better, best

mignon, -ne cute, sweet

migraine *f.* headache

mijoter to simmer, cook slowly

milieu *m.* midst, surroundings, environment

militaire military

mille *m.* thousand

mince thin, slender

mine *f.* look, appearance

minuit *m.* midnight

minuscule small, miniature

miroir *m.* mirror

mise *f.* setting; **— en scène** setting, stage effect

misérable wretched, miserable

misère *f.* poverty, wretchedness

mi-voix *f.* undertone, whisper

modèle *m.* model, pattern

modeste modest

modiste *f.* milliner, dressmaker

moindre less, least, slightest

moineau *m.* sparrow

moins less, least; **à — que** unless; **au —** at least; **du —** at least, at any rate; **de — en —** less and less

moiré lustrous, iridescent

mois *m.* month

moitié *f.* half

mollement weakly

moment *m.*: **du — que** since

monde *m.* world, people, society; **au —** in the world; **tout le —** everybody

monnaie *f.* coin, money, change

monstre *m.* monster, heartless person

monter to climb, ascend, get in, result; **se — la tête** to get excited; **— la tête à** to work on the feelings of, egg on; **se — to get** excited; **se — contre** to pick on

montrer to show, exhibit, point out; **— le bout de l'oreille** to show one's real intention

moquer: se — de to make fun of, laugh at, care nothing for

moquerie f. taunt
morceau m. piece, bit, morsel
mordiller to bite, chew on, nibble
morne dismal, gloomy
mort f. death; à — mortally
mort m. dead man
mort dead, died
mortel, –le mortal, earthly
morveu–x, –se m. and f. brat
mot m. word; au bas — at the least
moteur m. motor, engine
motif m. motive, incentive, reason
mou, mol, molle soft, flabby, indecisive
mouchoir m. handkerchief
mouillé wet
mouiller to moisten, dampen
moulage m. statuary, moulding, cast
moule f. mussel
mouler to print by hand
mourir to die; — pour — if she had to die anyway
mousseline f. muslin
moustache f. mustache
moustique m. mosquito
mouvement m. movement, impulse
moyen m. means, manner, way
muet, –te mute, dumb, silent
mur m. wall
murer to wall up
murmure m. murmur
murmurer to murmur, mutter
musicien m. musician
myope nearsighted
mystérieu–x, –se mysterious
mythe m. myth

N

nageu–r, –se m. and f. swimmer
naguère recently, not long since

naï–f, –ve naïve, artless, unaffected
naissance f. birth
naissant dawning
naître to be born, rise
naïvement naïvely, simply
nappe f. tablecloth, cloth
narcotique m. narcotic
narine f. nostril
nasse f. net, trap
naturel, –le natural
naturellement naturally
ne: — ... aucun none, no; — ... guère hardly; — ... jamais never; — ... plus no more; — ... que only
néant m. nothingness, extinction, nonentity
nécessaire necessary
nécessité f. necessity
négliger to neglect, overlook
neige f. snow
nerf m. nerve
net, –te clean, clear, plain
neuf nine
neu–f, –ve new
neurasthénie f. neurasthenia, psychoneurosis
neurasthénique neurasthenic, neurotic
nez m. nose; les ailes du — sides of the nose
nid m. nest
nier to deny
nigaud m. idiot, nincompoop
noblesse f. nobility
noceur m. reveler, gay blade
noir black
nom m. name
nombre m. number, group
non no, not; — pas no! — plus either, neither
nord m. north
notaire m. notary

note *f.* note, tone; grade; bill, account

noter to note, notice, observe, write down

nourrice *f.* nurse

nourrir to feed, nourish, support, provide for

nourriture *f.* nourishment, food

nouveau, nouvel, –le new; **à —** again; **de —** again, anew

nouvelles *f. pl.* news

noyé bathed

noyer to drown, sink, soak

nu nude, bare; **nu-propriété** final ownership

nuage *m.* cloud

nue *f.* cloud

nuit *f.* night, darkness, gloom; **cette —** last night; **en pleine —** in the dead of night

nul, –le no, not any

nuque *f.* nape of the neck

O

obéir to obey

objet *m.* object, thing, article

obliger to oblige, compel

obscur obscure, dark, dull

obscurité *f.* darkness

obsèques *f. pl.* funeral rites

obséquieu–x, –se obsequious, fawning

observer to observe, notice

obstiné obstinate

obtenir to obtain, procure

occupé busy

occuper to occupy, employ; **s'— de** to busy oneself with, meddle with, worry about

octobre *m.* October

octroi *m.* tollhouse

odeur *f.* odor, smell

œil, yeux *m.* eye, eyes; **tourner l'—** to look back

œuf *m.* egg

œuvre *f.* work, literary *or* artistic production

officiel, –le official, formal

offrande *f.* offering

offre *f.* offer

offrir to offer, tender, invite

oiseau *m.* bird

ombrager to shadow, shade

ombre *f.* shadow, shade, dark

ombrelle *f.* umbrella

omnibus *m.* carriage

oncle *m.* uncle; **grand —** great-uncle

onction *f.* unction, piety, pretense

onde *f.* wave

ongle *m.* fingernail, toenail

opposé *m.* opposite

opposer to oppose; **— à** to turn around; **s'—** to object

or *m.* gold

or now, well, then, so

orage *m.* storm

orageu–x, –se stormy

ordinaire ordinary; **d'—** usually

ordonnance *f.* arrangement

ordonner to order, command

ordre *m.* order, command; **jeter un —** to give a command; **mettre de l'—** to straighten up

oreille *f.* ear, hearing; **montrer le bout de l'—** to show one's real intention; **dire (parler) à l'—** to whisper

oreiller *m.* bolster, pillow

organe *m.* organ

organiser to organize

orgueil *m.* pride

orienter to direct, orient

orme *m.* elm tree

ormeau *m.* elm tree
ornière *f.* rut
orphelin orphan
orphelinat *m.* orphaned state
osciller to move, sway
oser to dare, venture
osier *m.* willow, reed, wicker
ôter to remove, take off
ou or; — ... — either ... or
où where, when; — ça? where then?
oublier to forget
oui yes; mais — why yes!
ouvert open, opened
ouvertement openly
ouvrage *m.* work, needlework
ouvrier *m.* day laborer, workman
ouvrir to open

P

paillasse *f.* straw mattress
paille *f.* straw
paillon *m.* straw wrappings
pain *m.* bread; — bis dark bread
paisible calm, peaceful
paix *f.* peace, quiet
palais *m.* palace, large house
pâle pale, colorless, light
palier *m.* landing
panneau *m.* trap, snare
pansement *m.* bandage, dressing
pantalon *m.* trousers
papa *m.* papa, father
paperasse *f.* old paper
papier *m.* paper
paquet *m.* package, parcel; lâcher le — to blurt it out; servir un — to tell off
par by, through, for
paraître to appear, seem, look, become visible

parapluie *m.* umbrella
parbleu! by heavens!
parc *m.* park, grounds
parce que because
pardessus *m.* overcoat
par-dessus above, over; — le marché in addition
pardonner to pardon, forgive
pareil, -le equal, like, similar, such
parent *m.* parent, relative
parer to adorn, prepare
parfait perfect, complete
parfois sometimes, at times
parfum *m.* perfume, odor
parler to speak, talk; entendre — de to hear about
parmi among
parole *f.* word, expression; couper la — to interrupt; donner la — to make a promise
part *f.* part, share; à — de aside from; hors — over and above (one's share)
partage *m.* division of property
partager to divide, share
parterre *m.* garden
parti *m.* party; match, catch; part; prendre un — to make up one's mind
particuli-er, -ère particular, peculiar
partie *f.* part, portion
partir to leave, depart; à — de from
partout everywhere
pas *m.* step, pace; mettre au — to call someone to his duty
pas not; ne ... — not
passage *m.* passageway, arcade
passer to pass, spend; put on (*of clothing*); se — to happen; se — de to do without; — en revue to look over; — sur to overlook

passionné sensitive, impassioned

passionner to fill with enthusiasm, be impassioned

patauger to flounder

pâtissier *m.* pastry cook, baker

patrimoine *m.* patrimony

patte *f.* paw, foot, claw

paupière *f.* eyelid

pauvre poor, unfortunate

pavé *m.* pavement

payer to pay for, buy

paysan *m.* peasant, farmer

paysan, –ne rustic

peau *f.* hide, skin

peignoir *m.* dressing gown

peindre to paint, describe

peine *f.* pain, sorrow, difficulty; à — hardly, scarcely; ce n'est pas la — it isn't worth the trouble

peint painted

peinture *f.* painting

pelé bald, shedding

peler to peel, pare

pèlerine *f.* short cape

pelotonner: se — to curl up, roll up

peluche *f.* plush, velvet

pencher to lean, slope, tip; se — to lean, stoop

pendant during, while

pénétrer to penetrate, enter

pénible painful, trying

pensée *f.* thought, belief

penser to think, reflect, imagine; tu penses bien! you can well imagine!

pensi–f, –ve thoughtful, thoughtfully

pension *f.* boardinghouse; pension, payment

pente *f.* slope, incline; remonter la — to start over again

percevoir to perceive

perdre to lose, ruin; — pied to lose face, lose countenance

père *m.* father

perfection *f.* perfection; une — a jewel

permettre to permit, allow

permission *f.* permission, leave

perron *m.* step, doorstep

persan Persian

persienne *f.* window shade, blind

persifleur flippant, teasing

personnage *m.* personage, character

personne *f.* person; nobody; ne ... — no one, nobody

personnel, –le personal

persuader persuade, induce

persuasi–f, –ve persuasive

pervenche bright blue

peser to weigh, estimate

petit little, small, inconsequential; faire la —e bouche to pretend to object; — jour early morning

petite-fille *f.* granddaughter

petit-fils *m.* grandson

peu *m.* little, trifle; à — près almost, nearly; — à — little by little; depuis — for a short while

peu little, few

peur *f.* fear; avoir — to be afraid; faire — to frighten

peut-être perhaps, maybe

phalène *f.* moth

phare *m.* light, headlight

phénol *m.* carbolic acid

philosophie *f.* philosophy

phobie *f.* fear, phobia

photographe *m.* photographer

phrase *f.* sentence, phrase

pièce *f.* piece, portion; document; room; mettre en —s to tear to pieces

pied *m.* foot, bottom; **à —** on foot; **perdre —** to lose face, lose countenance

pieu-x, -se pious, religious

pin *m.* pine tree

pire worse, worst

pis worse; **tant —** so much the worse

piste *f.* track, path

pitié *f.* pity; **avoir —** to pity

place *f.* place; public square, market place; position; **faire — nette** to evacuate; **sur —** on the spot

placement *m.* investment; **bureau de —** employment office

plafond *m.* ceiling

plaider to go to law, plead

plaindre to pity; **se —** to complain

plainte *f.* complaint

plaintivement complainingly, plaintively

plaire to please, be pleasing; **s'il vous plaît** please

plaisir *m.* pleasure

plan *m.* plan, rank, design

plaquer to jilt, abandon

plastron *m.* shirt front

plat *m.* plate, dish, course

plat flat

plateau *m.* tray

plate-forme *f.* platform

plein full, filled; **en pleine nuit** in the dead of night; **en pleine crise** all wrought up

pleurer to weep, cry

pleuvoir to rain

pli *m.* fold, pleat, envelope

plier to fold, double

plomb *m.* lead

plombé wan, ashen

pluie *f.* rain

plupart *f.* the greater part, majority, most

plus more, most; **ne ... —** no more, no longer; **de —** all the more

plusieurs several

plutôt rather, sooner

pluvieu-x, -se rainy

poche *f.* pocket

poème *m.* poem

poids *m.* weight, load

poignée *f.* handful; **— de main** handshake

poignet *m.* wrist

poil *m.* hair

poindre to break (*of dawn*)

poing *m.* fist, hand

point *m.* point, period; **ne ... —** not at all, nothing at all

pointe *f.* point; **— des pieds** tiptoe

poire *f.* pear, (*slang*) sum of money

poitrine *f.* chest, breast

poli polished, polite

police *f.* police, policy

polici-er, -ère police; **régime — police** rule; **roman —** detective story

pomme *f.* apple; **— de terre** potato

portail *m.* portal, gate

porte *f.* door; **mettre à la —** to dismiss, send away

porte-fenêtre *f.* French door

porte-monnaie *m.* purse, pocketbook

porter to carry, bear; wear; deal; **— le coup** to deal a blow

portière *f.* door

poser to pose, put, place; **— une question** to ask a question

posséder to possess, own

possibilité *f.* possibility, resource

pot *m.* pot, kettle, jar
potag–er, –ère vegetable *or* kitchen (garden)
poudre *f.* powder, face powder
poudrer to powder
poulet *m.* chicken, fowl
poupée *f.* doll, puppet
pour for, to, in order to; — que in order that, so that
pourquoi? why? what for? for what reason?
poursuivre to pursue, prosecute, continue
pourtant nevertheless, however
pourvu que provided that, if only
poussée *f.* push, shove
pousser to push, grow; — un soupir to sigh
poussière *f.* dust
poussiéreu–x, –se dusty, dirty
pouvoir *m.* power
pouvoir to be able, can
précédent preceding
précéder to precede
précieu–x, –se affected, pretentious
précipitamment hurriedly
précipiter to precipitate; se — to hurry
précis accurate, exact
précisément precisely
préférer to prefer
premier *m.* first; au — on the second floor
premi–er, –ère first; — garçon venu first comer
prendre to take, to have (eat); — des gants to use extreme care; — un parti to make up one's mind; — une décision to make a decision; se — to undertake, set about; — à témoin call to witness

préparer to prepare; se — to make ready, get ready
près near, close by; — de near, near by, on the point of, almost; à peu — almost
présent actual, present, current; à — at present, now
présenter to present, introduce
presque almost, nearly
pressé hurried, in a hurry, urgent, eager
pressentiment *m.* presentiment
pressentir to feel
presser to press, hurry, urge; se — to hurry, crowd
prêt ready
prétendre to pretend, aspire (to)
prêter to lend, grant, give, attribute
preuve *f.* proof
prévoir to foresee, anticipate, look forward to
prier to pray, beg, ask for
prière *f.* prayer
principe *m.* principle, cause
printemps *m.* spring
prisonni–er, –ère prisoner
privé private, personal
priver: se — to deprive oneself
prix *m.* price, cost, prize; à tout — at any cost; à vil — at a low price; hors de — very high priced
procès *m.* lawsuit
prochain next, nearest
proche near, neighboring
proclamer to proclaim, say
prodigue *m.* prodigal, spendthrift
produire to produce
professeur *m.* professor
profil *m.* profile
profiter to profit
profond deep, profound

projet *m.* project, scheme, plan
prolonger to prolong, extend
promesse *f.* promise, word
promettre to promise
promis, –e *m. and f.* fiancé, fiancée
prône *m.* sermon
prononcer to pronounce, utter
prophétie *f.* prophecy
propos *m.* subject, conversation;
 tenir un — to say
proposer to propose, suggest
propre own, very; — à rien good
 for nothing
propriétaire *m.* owner, proprietor,
 landlord
propriété *f.* property; nu-propriété
 final ownership
prostré prostrate, recumbent
prostrer to prostrate
protéger to protect, defend
protestation *f.* protest, objection
protester to protest
prouver to prove
proximité *f.* proximity, nearness
prudemment prudently
psychologie *f.* psychology
public–c, –que public
publier to publish
puéril childish
puis then, afterwards, next
puisque since, because
puissance *f.* power; en — poten-
 tially
pulluler to swarm, be abundant
pur pure

Q

quai *m.* quay, wharf, platform
qualité *f.* capacity, quality
quand when; — même even if,
 although
quant à with regard to, as for

quart *m.* fourth, quarter
quartier *m.* quarter, district
quatorze fourteen
quatre four; — à — four at a time;
 servir ses — vérités to speak
 frankly
que whom, which, what, that, as,
 than; ne . . . — only
que? what? whom? which? how
 many?
quel what? which? what a!
quelque some, any, few; — chose
 something; —fois sometimes;
quelqu'un, –une someone, some-
 body
question *f.* question; poser une —
 to ask a question
queue *f.* tail, line, end; sans —
 ni tête without rhyme or reason
qui who, whom, which, that
qui? who? whom? which?
quiétude *f.* calm
quinze fifteen; — jours two weeks
quitte even, free; nous sommes
 —s we are even
quitter to leave, quit, take off
quoi what, which; de — enough
quoi? what? à — bon? what's
 the use?
quoi que whatever
quoique although
quotidien, –ne daily

R

rabâcher to repeat over and over
 again
raccompagner to reaccompany,
 show out
raccourci *m.* short cut
racé elegant
racine *f.* root

racontar *m.* gossip
raconter to tell
radieu–x, –se radiant
radiographie *f.* X-ray
rafraîchissement *m.* refreshing, renewal
rageusement angrily
ragot *m.* gossip, silly talk
raie *f.* part, line
rainure *f.* groove, frame
raisin *m.* grape; **grain de —** grape
raison *f.* reason; **avoir —** to be right; **— d'être** reason for existing; **— de vivre** reason for existing
raisonnable reasonable, sensible
raisonner to reason, argue
rôlant in death agony
ralentir to slow down, slacken
ramage *m.* bouquet, floral design
ramassé heavy, stout
ramasser to pick up, collect
ramener to bring back, bring again, return
rampe *f.* banister
rance *m.* rancidity
rancune *f.* anger, grudge
ranger to arrange, set in order
rapace *m.* wild animal
rapace rapacious
rapide rapid, quick
rappeler to remember, recall; **se —** to recall
rapport *m.* report, relation
rapporter to bring back, report; bring in an income
rapprochement *m.* coming together, juxtaposition
rapprocher to bring near; **se — de** to approach
rare thin, rare
raser to shave

rassurant reassuring
rassurer to reassure
rattacher to attach again
rattraper to retake, overtake, catch up, collect
ravager to lay waste
ravaler to swallow again; **menton ravalé** retreating chin
rayon *m.* ray, beam; sales counter, shelf
rayonner to beam, shine
réagir to react
réaliser to accomplish
rebiffer: **se —** to bristle
rebuffade *f.* rebuff
rebuffer to rebuff
recalé failed
recaler to fail (*someone in an examination*)
recevoir to receive, pass
réchapper to escape, come out
rechercher to seek, search
réciter to recite, relate
réclamer to protest, claim, hold on to
recoiffer to do one's hair again, straighten one's hair
recoller to fail again
recommencer to begin again
récompenser to recompense, repay, reward
réconfort *m.* comfort
reconnaître to recognize, be grateful for
reconquérir to regain
recopier to copy again
recoucher (se) to go to bed again, lie down again
recoudre to sew together, sew up
recours *m.* recourse, resource
recouvert covered
recouvrir to re-cover, conceal, cover up, re-roof

178

recréer to make over, re-create
recroqueviller: se — to retire within oneself; curl up
recueil *m.* collection
reculer to step back, retreat, recede
redevenir to become again
redire to say again, answer
redoubler to redouble
redoutable formidable
redouter to suspect, guess, fear
redresser to recover, straighten up
réduire to reduce
réel, -le real, true
réellement really
refaire to remake, redo, do again
refermer to close again
réfléchir to reflect, think over
reflet *m.* reflection
réflexion *f.* reflection, thought
refluer to flow back, ebb
réfugier to take refuge
refus *m.* refusal
refuser to refuse; — le jeu to back down (*card-playing term*)
regagner to return to, regain
regard *m.* look, glance, expression
regarder to look at, regard, concern
régie *f.* excise tax, inheritance tax
régime *m.* rule, law, system
régisseur *m.* agent, manager
règle *f.* rule, regulation
règner to reign, govern, rule
regretter to regret, miss
réguli-er, -ère regular
régulièrement regularly
reine *f.* queen
rejeter to throw back, reject, discard
rejoindre to rejoin, overtake, meet
réjouir to rejoice, make glad; se — to be glad

relancer to rouse, disturb
relent *m.* smell, odor, musty *or* damp smell
relevé *m.*: — de compte statement of account
relever to pick up, note, raise again, heed
relier to bind (*a book*)
relieur *m.* bookbinder
relire to reread
remarquer to remark, notice
remercier to thank (for)
remettre to put back, put on again, hand over; se — to recover, begin again
remise *f.* cab stand
remonter to mount again, go up again; — la pente to start over again
remplir to fill, fulfill, complete
remuer to move, stir
rencontre *f.* meeting, encounter; venir à la — de to come to meet
rencontrer to meet, find, encounter
rendement *m.* production, yield
rendez-vous *m.* meeting, engagement, meeting place; prendre — to make an appointment
rendormir to put to sleep again; se — to go back to sleep
rendre to render, restore, surrender, give back; make; — justice to be fair; se — à l'évidence to give in to the evidence; — compte to give account; se — compte understand, realize
renfermer to shut, close
renfoncer to burrow into, indent
renier to disown, deny
renifler to sniff
renoncer to renounce, give up
renouveler to renew, re-create, redo, replace, repeat

179

renseignement *m.* information, account

rente *f.* yearly income (*from stocks, bonds, etc.*)

rentrer to re-enter, return home, come back; — dans l'ordre to return to normal

renverser to reverse, upset, bend

renvoi *m.* dismissal, jilting

reparaître to reappear

réparation *f.* repair

réparer to make amends

repas *m.* meal, repast

repasser to repass, review, cross again

répéter to repeat, practice

replier to fold

réplique *f.* reply

répliquer to answer, reply

répondre to reply, answer

réponse *f.* answer, reply

reposer to repose, rest

repousser to push back, repulse

reprendre to recover, resume, continue; — le dessus to get the upper hand

représenter to represent, show

réprimer to repress, restrain

reprise *f.*: à plusieurs —s several times, over and over again

reproche *m.* reproach, objection

reprocher to reproach

reproduction *f.* reproduction, recurrence

réserver to reserve

résigner to resign

résineu–x, –se resinous

résistance *f.* resistance, endurance

résistant resistant, tough

résister to resist

résolu resolved

résoudre to resolve, determine

respirer to breathe, live

responsabilité *f.* responsibility

responsable responsible

ressembler to resemble, be like

ressentir to feel; se — to feel the effects of

resserrer to tighten

ressource *f.* resource

ressusciter to bring to life, revive

reste *m.* rest, remainder; au — moreover; du — besides

rester to remain, be left

retard *m.* delay; être en — to be late

retarder to retard, make late

retenir to retain, hold back

retentir to resound, ring, re-echo

retirer to retire, draw away; se — to withdraw

retouche *f.* adjustment, change

retoucher to adjust, retouch

retour *m.* coming back, coming home, return

retourner to return, turn over; se — to turn around, turn over, turn back

retraite: en — back

rétrécir to narrow

retrouver to find again, recover

réunion *f.* reunion, meeting

réussir to succeed

réussite *f.* success

revanche *f.* revenge

rêvasserie *f.* nightmare, dreaming

rêve *m.* dream

revêche stern, unlovely

réveil *m.* alarm

réveille-matin *m.* alarm clock

réveiller to awaken, arouse

révéler to reveal, discover

revenir to return, come back, recur

revenu *m.* income

rêver to dream

réverbère *m.* street light *or* lamp
révérence *f.* reverence, curtsy
revers *m.* reverse, back
revêtir to put on
revivre to live over again
revoir to see again
révolter to revolt, rebel against
revue *f.* review; passer en — to look over, review
rez-de-chaussée *m.* ground floor, first floor
rhabiller to dress again
riche rich
rideau *m.* curtain
ridicule ridiculous
rien *m.* nothing, trifle; ne ... — nothing; de —! you are welcome, it's nothing! un propre à — a good-for-nothing
rimailler to write bad verse, write poor poetry
rire *m.* laugh
rire to laugh; pour — as a joke
risque *m.* risk
risquer to risk; se — to make bold, dare
rite *m.* rite, ritual
rituel *m.* ritual, custom
rivage *m.* shore
rive *f.* shore, bank
river to rivet; — leur clou to silence them
rivière *f.* brook, stream
riz *m.* rice
robe *f.* dress, gown; — de chambre dressing gown
rôder to prowl
roman *m.* novel; — policier detective story
rompre to break, interrupt
ronchonner to grumble
rond *m.* ring, circle
rond round, frank

ronger to gnaw, bite, chew
roquefort *m.* Roquefort cheese
rose rose-colored
rossignol *m.* nightingale
roucouler to coo
roue *f.* wheel; mettre des bâtons dans les —s to oppose, hinder
rouge red
rougir to turn red, blush
rouler to roll, roll along, ride
route *f.* route, way, road; faire fausse — to get on a wrong track; grand'route highway, main road
rouvrir to reopen
rou-x, -sse russet, red, red-haired; lune rousse frost-causing moon
rue *f.* street
rugueu-x, -se rugged, rough
ruine *f.* ruin, bankruptcy
ruiner to ruin
ruineu-x, -se in ruins
ruisselant dripping
ruisseler to stream, pour
rumeur *f.* rumor, sound
rupture *f.* break, rupture
rythme *m.* rhythm

S

sable *m.* sand
sac *m.* sack, bag, valise
sacré sacred; damned
sacrifier to sacrifice
sagesse *f.* wisdom, good sense
saisir to seize, lay hold of
saison *f.* season
salade *f.* salad
salaud *m.* wretch, scoundrel
sale dirty, filthy
salive *f.* saliva

salle *f.* room, drawing room; — à manger dining room
salon *m.* living room, parlor
saluer to greet, speak to
salut *m.* greeting
samedi *m.* Saturday
sang *m.* blood; — froid calm
sanglot *m.* sob
sangloter to sob
sans without; — que without
sans-cœur *m.* heartless person
santé *f.* health; maison de — private hospital
sapinette *f.* little fir tree
sarcophage *m.* coffin, sarcophagus
sarment *m.* dry vine, twig
satisfaire to satisfy
sauf except, save for
saut *m.* jump; — de lit dressing gown, bathrobe
sauvage savage, wild, untamed
sauver to save
savoir to know, know how, be able to
savourer to enjoy, taste
scandaliser to shock
scène *f.* scene, stage; mise en — staging, setting
scrupule *m.* scruple, qualm
sec, sèche dry, unsweetened (*of wine*)
sèchement dryly
sécheresse *f.* drying up, dryness; lack of emotion
second second
seconde *f.* second (*of time*)
secouer to shake, discard
secourir to help, aid
secours *m.* help
séduit persuaded
seigle *m.* rye
seize sixteen
sel *m.* salt

selon according to
semaine *f.* week
semblant *m.* semblance, appearance; faire — to pretend
sembler to seem, appear
semelle *f.* sole
sens *m.* sense, meaning, reason, senses
sensible aware, sensitive
sentiment *m.* feeling, sentiment
sentir to feel; smell, smell like; appreciate
séparer to separate, divide
sérieusement seriously
sérieu-x, -se serious
serpent *m.* serpent, snake
serre *f.* greenhouse
serrer to press, squeeze, hold tight, tighten
servi used up
service *f.* service; escalier de — servants' staircase
serviette *f.* napkin
servir to serve, be used for; se — de to use, make use of
seuil *m.* threshold
seul alone, sole, single
seulement only, even
sevrer to deprive, sever
si if, whether; so; yes; — bien que so that; encore — if only
siècle *m.* century, age
sien, -ne his, her, hers, its; les siens her (his) people
siffler to whistle
signe *m.* sign, mark
signer to sign
signification *f.* meaning
signifier to signify, mean
silencieu-x, -se silent
simplement simply
simplifier to simplify
singuli-er, -ère singular, odd

sinistre sinister, gloomy
sinon otherwise, if not, save
sirène *f.* siren, whistle
situation *f.* situation; en — de in a position to
situer to locate, situate
skungs *m.* skunk (*fur*)
smoking *m.* dinner jacket
société *f.* society
sœur *f.* sister
soie *f.* silk
soif *f.* thirst; avoir — to be thirsty
soigné careful, even
soigner to care for, look after
soin *m.* care
soir *m.* evening, night
soirée *f.* evening, party
soldat *m.* soldier
soleil *m.* sun
solennel, –le solemn
solennité *f.* solemnity
solide solid
sombre dark, sombre, gloomy
somme *f.* sum; burden
sommeil *m.* sleep; avoir — to be sleepy
somnambule *m. and f.* sleepwalker
somnoler to drowse
sonder to examine carefully
songe *m.* imagining, dream
songer to think, dream
sonner to sound, ring
sonnerie *f.* ringing
sonnette *f.* bell, doorbell, electric bell
sorci–er, –ère *m. and f.* herb doctor, quack
sordide sordid
sort *m.* lot, fate, fortune
sorte *f.* sort, kind, manner; de — que so that; de la — of the kind
sortie *f.* departure, exit

sortir to go out, leave, come out, protrude
sou *m.* sou, copper, cent (*one twentieth of a franc*)
souci *m.* care, worry
soucoupe *f.* saucer
soudain sudden, suddenly
souffle *m.* breath (*of air*)
souffler to blow, pant, breathe rapidly
souffleter to strike, slap
souffrance *f.* suffering
souffrant sick, ill
souffrir to suffer, endure
souhaiter to desire, wish
souillarde *f.* washroom, washtub
souiller to soil, make dirty
soulager to comfort, calm, quiet
soulever to raise, lift, stir up, excite
soulier *m.* shoe
soumettre to submit
soupçonner to suspect, have a suspicion of
soupe *f.* soup
souper *m.* supper
souper to have supper
soupir *m.* sigh, gasp; pousser un — to give a sigh
soupirer to sigh, gasp
source *f.* source, spring, fountain
sourd deaf, dull; faire le — play deaf
sourire to smile
souris *f.* mouse
sournois sly, underhanded
sous under, beneath
soutenir to sustain, uphold, support
souterrain subterranean
souvenir: se — de to remember, recall
souvent often

soyeu–x, –se silky, fine
spéci–al, –aux special
spécialement especially
splendeur *f.* splendor, luster
store *m.* window shade
strophe *f.* stanza
stupéfait stupefied, amazed
stupeur *f.* surprise, stupor
subalterne *m.* subaltern, subordinate
subir to undergo, suffer, submit to
submerger to submerge, swamp
subodorer to smell out
subsister to exist, continue to exist
substituer to substitute (for)
subtiliser to take away, pilfer
succès *m.* success; result
suer to sweat, perspire
sueur *f.* sweat, perspiration
suffire to suffice, be enough for
suffisant enough, sufficient
suite *f.* rest, series, suite; **tout de** — immediately
suivant following, next; according to
suivre to follow, continue
sujet *m.* subject, cause; **au** — **de** about, concerning
supérieur superior, upper
suppliant entreating
supplice *m.* torture
supplier to beg
supporter to support, tolerate, endure, stand
supposer to suppose, presume
supprimer to suppress, abolish
sur on, upon, above; about, concerning
sur sour
sûr sure, safe; **bien** — certainly, certain
surcharger to overburden
surgir to surge up, arise, appear

surlendemain *m.* day after tomorrow, two days later
surmonter to surmount, top off
surprendre to surprise
surpris surprised
surprise *f.* surprise, amazement
sursaut *m.*: **en** — with a start
surtout above all, especially
surveiller to superintend, inspect, watch over
suspendre to suspend, hang up
système *m.* system, plan

T

tabac *m.* tobacco
table *f.* table; — **de chevet** bedside table
tableau *m.* picture, painting
tache *f.* spot, blemish
tâche *f.* task, job
tacher to spot, blemish, stain
tâcher to try, attempt
taille *f.* shape, size, waist
tailler to cut out, cut down, prune
taire: se — to be silent, not talk
talon *m.* heel; — **tordu** run-down heel
tamponner to dab, stop, dry (the eyes)
tandis que while
tant so much, as much; — **mieux** so much the better; — **pis** so much the worse; — **que** as long as
tapis *m.* carpet, rug
tard late
tarder to delay, dally, be long at
tardi–f, –ve late, slow
tarir to dry up, shut off, stop
tarte *f.* fruit pie, tart
tas *m.* heap, pile
tasse *f.* cup

tasser to cram, fatten; se — to sink, settle, slump

tâter to feel; — le terrain to sound out, feel out

tâtonnement *m.* groping, feeling one's way

teindre to dye, color

teint *m.* color, complexion

tel, –le such, like, similar; — que just as, like

tellement so, so much, to such an extent

témoigner to show, give proof of

témoin *m.* witness, evidence; prendre à — call to witness

temps *m.* weather, time; de — en — from time to time

tenace tenacious, firm

tendre tender

tendre to extend, stretch, reach out, spread; — la main to beg; offer to shake hands; — la joue to offer one's cheek

tendrement tenderly

tendresse *f.* tenderness, affection, love

ténèbres *f. pl.* darkness, gloom

teneur: — de livres *m.* bookkeeper

tenir to hold, get, keep, subjugate; — à to be anxious to (do something); be attached to (someone); — bon to keep one's word; compte to take notice; — le coup to get along, make a living; — dans to be contained in; — lieu to take the place of; — (les) livres to keep books; — propos to say; — tête à to stand up to; se — to stand, hold, stay; s'en — to stop (there); mal tenue badly gotten up

tentation *f.* temptation

tenter to attempt, try

tenue *f.* bearing, dress; mal — badly gotten up

terne dull, lusterless

terrain *m.* ground, field; tâter le — to feel out, sound out

terrasse *f.* terrace

terre *f.* earth, land; pomme 'de — potato; tremblement de — earthquake

terreau *m.* vegetable mold

terreur *f.* terror, fear

terrible terrible, fearful

terrifier to terrify

tête *f.* head, top; monter la — to excite, egg on; sans queue ni — without rhyme or reason; tenir — à to stand up to

téter to suckle, nurse; faire — to nurse

têtu headstrong, stubborn

texte *m.* text, subject matter

théâtre *m.* theater, stage

tiède warm, tepid

tige *f.* stem, stalk

tilleul *m.* lime tree, linden; rond de s linden grove

timbré strong, loud

timide timid, bashful

timidement timidly

timoré timid, fearful

tirer to draw, pull; se — d'affaire to get out of trouble, get along

tiroir *m.* drawer (*of table or desk*)

tisser to weave

titre *m.* title, deed

toile *f.* cloth, linen; — d'araignée spider web

toilette *f.* dress, dressing, toilette

toit *m.* roof

toiture *f.* roof

tomber to fall, drop, hang (*of a garment*)

ton *m.* tone, pitch, style
tordre to twist, turn; **talon tordu** run-down heel
torpeur *f.* lethargy, torpor
tort *m.* wrong, harm, injustice; **avoir** — to be wrong, make a mistake
torturer to torture, torment
tôt soon, quickly, early
touche *f.* touch
toucher to touch, concern; cash (a check), receive payment, collect (a bill or debt)
toujours always, still, yet, constantly
tour *m.* turn, trip, tour
tourment *m.* torment
tourmenter to torment, torture
tournant *m.* turn
tournée *f.* tour, round
tourner to turn; se — to turn around; — l'œil to turn back; — **autour** to wander around; — **la page** to turn a new page
tousser to cough
tout all, whole, each, every; **rien du** — nothing at all; **pas du** — not at all; **tous (les) deux** both; **tous les jours** every day; — **à coup** suddenly; — **à l'heure** a little while ago, soon; — **de même** all the same, just the same; — **le monde** everybody; — **à fait** entirely; — **de suite** immediately
tout (*adv.*) wholly, quite, very
tout-puissant all-powerful
traduire to translate, express
tragique tragic
trahir to betray, deceive
trahison *f.* treachery, deceit
train *m.* train; **avoir en** — to have in hand; **en** — **de** in the act of, busy at

traînant languid, listless
traîne *f.* train (*of a dress*)
traînée *f.* trail, mark, streak
traîner to drag
trait *m.* feature, stroke, **gulp,** swallow
traiter to treat, negotiate
trajet *m.* ride, trip
tram(way) *m.* streetcar, tramway
tranchant cutting
tranquille calm, quiet; **laisser** — to let alone
transe *f.* fright, scare
transi chilled, frightened
transpercer to transfix, pierce
transpirer to perspire, sweat
travail *m.* work, job
travailler to work
travailleur *m.* worker
travailleu-r, -se industrious
travers: à — across, through
traverser to cross, traverse
trébucher to stumble, stagger
trébuchet *m.* trap, snare
tremblant trembling
tremblement *m.* trembling; — **de terre** earthquake
trembler to tremble, shake
tremper to wet, moisten, soak
trente thirty
très very, quite
tressaillir to jump, start
tricher to cheat at cards
trimbaler to drag about, drag along
trimestre *m.* quarter (*of school year*)
triomphe *m.* triumph
triste sad, dreary
tristesse *f.* sadness
trois three
tromper to deceive; se — to be mistaken, be deceived

186

trop (de) too; too much, too many
trophée *m.* trophy
trotter to trot
trottoir *m.* sidewalk, pavement
trou *m.* hole, gap
trouble *m.* anxiety, worry, excitement
trouble troubled, worried
troubler to trouble, worry
trouer to make a hole
troupeau *m.* herd, flock
trousse *f.* case for toilet articles, toilette kit; valise, bundle
trouver to find, discover; — le joint to find a way (out)
tuer to kill, slay; se — to kill oneself
tue-tête: à — loudly, shouting
tutrice *f.* guardian
type *m.* type, form

U

union *f.* union, marriage
unique only, sole, unique
unir to unite
univers *m.* universe
usage *m.* use, custom, usage
user to use, wear out; — de to make use of
usine *f.* factory, mill
usufruit *m.* usufruct, life interest

V

vacances *f. pl.* vacation, holiday
vache *f.* cow
vague *f.* wave
vaguement vaguely
vaincre to overcome, conquer
vaincu conquered

valeur *f.* value, worth
valoir to be worth, be equal; — la peine to be worth the trouble; — mieux to be better, be preferable
vanter to praise, boast
varech *m.* seaweed
vaste vast, wide, spacious
veille *f.* eve, day before
veiller to watch, be on guard, stay awake
velu hairy, shaggy
vendange *f.* grape harvest, wine-making
vendre to sell; — la mêche to tell a secret
vendredi *m.* Friday
venir to come; — de to have just; qu'ont ce qu'elle vient faire how is she concerned
vent *m.* wind, breeze; quel bon —! what a pleasure (to see you here)!
ventre *m.* stomach
venu: premier garçon — first comer
venue *f.* coming, arrival, growth; allées et —s comings and goings
verdâtre greenish
vérifier to discover, verify
véritable real, true
vérité *f.* truth; — vraie real unadorned truth
vermeil silver-gilt, gilded silver
verre *m.* glass
verrouiller to lock; se — to lock oneself in
vers *m.* verse, poetry
vers toward
verser to pour out, pay over money
vert green, mettre au — to put

out to pasture, make (someone) take things easy

vertige *m.* dizziness

verve *f.* enthusiasm

veste *f.* lounge jacket

vêtement *m.* garment, dress, clothing

viande *f.* meat

vibrer to vibrate

victoire *f.* victory

victoria *f.* victoria, open carriage

vide *m.* emptiness, void

vide empty, vacant, void

vider to empty

vie *f.* life, living; **gagne** — *m.* way of making a living, job

vieux, vieil, –le old, aged, ancient, former; **(mon)** — "old man"

vigne *f.* vine, vineyard

vil bad, low; **à** — **prix** at a low price, cheap

villa *f.* estate, country house

ville *f.* city; **en** — downtown, in town

vin *m.* wine

vinaigre *m.* vinegar

vingt twenty; **vingt-trois** twenty-three; **vingt-quatre** twenty-four

violacé purple

violemment violently

violence *f.* violence, harsh words

visage *m.* face

vis-à-vis opposite, before; face to face; — **à** facing

viser to aim at

visite *f.* visit, call

vite swift, quick(ly)

vitre *f.* glass, windowpane

vivant living, alive

vivant *m.* lifetime

vivre to live

vœu *m.* vow

voici here is, here are

voilà there is, there are; — **tout** that's all there is to it

voile *m.* veil

voilette *f.* hair net, small veil, hat veil

voir to see

voiture *f.* carriage, coach, cab

voix *f.* voice, vote, tone; — **au chapitre** voice in the matter; **à** — **basse** in an undertone, whisper; **à haute** — in a loud voice, aloud; **éclat de** — shout

vol *m.* theft; flight; **au** — in the air

volant *m.* wheel, steering wheel

voler to fly, run

volet *m.* shutter

volonté *f.* will, determination, willingness

vouloir to wish, want, be willing, expect; — **bien** to be quite willing; — **dire** to mean; — **du mal** to bear a grudge; **en** — **à** to have a grudge against; **n'en** — **pas de** not to be interested in

voyage *m.* travel, trip

voyageur *m.* traveler, voyager

vrai true, real

vraiment truly

vue *f.* sight, view

Y

yeux *m. pl.* eyes; **boire des** — to stare at, feast one's eyes on

Z

zinc *m.* zinc, tin (*of roof*)

zona *m.* shingles (*nervous disease*)